ASHINI

Yves Thériault

ASHINI

Roman

Préface de Jean Morency

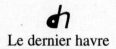

Le dernier havre

Catalogage avant publication de Bibliothèque et Archives nationales du Québec et Bibliothèque et Archives Canada

Thériault, Yves, 1915-1983

    Ashini: roman

    Nouv. éd.

    Éd. originale: Montréal: Éditions Fides, c 1960.

    Comprend des réf. bibliogr.

    ISBN 978-2-89598-013-1

    1. Titre.

PS8539.H43A66 2006   C843'.54   C2005-942174-6
PS9539.H43A66 2006

LES ÉDITIONS DU DERNIER HAVRE
3620, avenue Ridgewood, bureau 209
Montréal, Québec - Canada H3V 1C3
Télécopieur: (514) 733-6808 / courriel: le.dernier.havre@videotron.ca

Distribution au Québec et au Canada:
PROLOGUE INC.
1650, boulevard Lionel-Bertrand
Boisbriand, Québec, Canada J7H 1N7
Téléphone: 450- 434-0306   Télécopieur: 450-434-2627

Photo de couverture: Joseph-Alcide Thériault © 1945 Michelle Thériault

Dépôts légaux: 3ᵉ trimestre 2006
Bibliothèque et Archives Canada / Bibliothèque et Archives nationales du Québec

Imprimé au Québec (Canada)
12 13 14 15   6 5 4 3

À Michelle,
pour avoir compris,
ce livre.

PRÉFACE

Publié en 1960, *Ashini* marque une étape importante dans l'œuvre d'Yves Thériault. Ce texte inclassable, à la fois roman, récit et poème, constitue en effet le point d'aboutissement d'une décennie de création qui a conduit à la publication de plusieurs romans majeurs, dont *La Fille laide* (1950), son premier roman, *Le Dompteur d'ours* (1951), *Aaron* (1954) et *Agaguk* (1958), qui ont permis au romancier de donner la pleine mesure de son talent. Au fil de cette décennie, Thériault a forgé sa marque, en se donnant un style, ou plus précisément une écriture, à nulle autre pareille, qui vient s'incarner de façon magistrale dans *Ashini*. À ce titre, on peut considérer ce roman, sinon comme un condensé des romans déjà publiés, du moins comme le centre névralgique d'une œuvre déjà fortement charpentée, mais qui allait être appelée à se diversifier de plus en plus, à prendre une expansion continuelle, tendance dont les cinq romans publiés par Thériault au cours de la seule année 1961 rendent bien compte. *Ashini* vient ainsi non seulement résumer la manière de l'écrivain, mais aussi donner une nouvelle impulsion à son entreprise littéraire.

Le prétexte du roman est pourtant tout simple. Ashini est un vieux chasseur montagnais (innu) qui rêve de redonner à son peuple sa dignité et sa liberté. Pour ce faire, il cherche à convoquer le «Grand Chef Blanc», le premier ministre du Canada, à un face à face sur les rives de la rivière Bersimis, où il compte lui demander d'accorder aux Montagnais la jouissance des terres situées entre le lac Attikonak et les chutes Hamilton. À partir de ce canevas, Thériault va broder une fable existentielle sur le choc des civilisations à l'époque moderne, ainsi que sur le conflit irréductible prenant place entre l'homme et la collectivité.

La critique a souvent insisté sur l'importance de la lettre «A», qui ne va pas sans rappeler la fameuse lettre écarlate du romancier américain Nathaniel Hawthorne (*The Scarlet Letter*, 1851), dans l'œuvre d'Yves Thériault: *Aaron*, *Agaguk* et *Ashini* formeraient ainsi une espèce de trilogie consacrée au personnage de l'Autre, saisi justement à travers les formes multiples de l'altérité, qu'elle soit juive, esquimaude (inuite) et montagnaise (innue). De façon encore plus fondamentale, écrire sur l'Autre, c'est aussi écrire sur l'être humain, sur ce fameux «étranger» dont parle Albert Camus dans son célèbre roman paru en 1942. Cette allusion au roman de Camus, qui est un des contemporains de Thériault, permet de mettre en lumière les profondes résonances existentielles d'*Ashini*, ainsi que les rapports étroits qu'il entretient avec l'esprit de son temps, avec le zeitgeist de l'après-guerre.

Dans cette perspective, il convient de souligner que l'insistance, pour ne pas dire la fixation, de Thériault sur la première lettre de l'alphabet, sur l'alpha, traduit une méditation sur le temps de l'origine, qui rejaillit dans l'image du premier homme, Adam, une image qui d'ailleurs est chère non seulement à Thériault, mais aussi à Camus (au moment de sa mort en 1960, ce dernier travaillait justement à un roman qui devait s'intituler *Le Premier Homme*, dont on a retrouvé le manuscrit inachevé dans une mallette que l'écrivain transportait avec lui au moment de l'accident de voiture qui lui a été fatal). Cette thématique du premier homme, dont il convient de souligner ici toute l'importance, apparaît intimement liée, que ce soit chez Thériault ou chez Camus, au dépouillement qui caractérise leurs romans respectifs, ainsi qu'à une rêverie ou une nostalgie de l'origine qui peut s'expliquer de plusieurs façons, notamment par l'âge des deux écrivains (en 1960, ils sont tous les deux au milieu de la quarantaine), par leur position dans l'institution littéraire (ils sont tous les deux des écrivains originaires des marges, de la périphérie, le Québec pour Thériault, l'Algérie pour Camus), ainsi que par leur conscience commune d'être des «primitifs», dans le sens positif du terme.

Comme Aaron et Agaguk, Ashini est donc le premier homme, l'homme primordial, et en cela il nous renvoie à ce qu'il y a de plus authentique et de plus vrai chez l'être humain. Mais le premier homme, l'Adam, est aussi l'homme seul, l'homme solitaire. Dans *Ashini*, cette solitude est complète, en dépit du rôle de sauveur que le personnage rêve de se donner. Brutalement privé de sa progéniture, suite à la mort violente de ses deux fils et au départ de sa fille qui s'est exilée chez les Blancs, séparé de sa femme, morte elle aussi, coupé de son peuple qui s'est résigné à vivre dans les réserves, Ashini ressemble à une âme errante, condamnée à hanter les hauts territoires de chasse ou à rôder à proximité de la réserve. Comme le suggère d'ailleurs le romancier, Ashini est un prophète qui hurle dans le désert, une sorte d'Isaïe de l'Ungava: «Érigez vos villes! Mimez les puissants! Jouez les bâtisseurs de géographies!», hurle le vieux chasseur, mais sans que personne ne se trouve là pour l'écouter.

Dans *Ashini*, le premier homme, l'homme seul, est aussi le dernier. Le personnage d'Ashini se considère en effet comme le dernier des Montagnais, comme l'ultime survivant d'un peuple qui fut libre autrefois, mais qui est désormais tenu confiné dans des réserves aménagées spécialement pour lui par ceux-là mêmes qui l'ont spolié de son territoire. Thériault s'inscrit ainsi dans une longue tradition romantique qui remonte aux écrits de Chateaubriand (*Atala*, *René*, *Les Natchez*) et qui a été relayée par James Fenimore Cooper dans certains de ses romans les plus célèbres, comme *The Prairie* et *The Last of the Mohicans*. Le romancier québécois emprunte à ces deux auteurs leur figuration particulière de l'Indien, qui puise elle-même à la tradition philosophique des Lumières et au mythe du Bon Sauvage, tel qu'il se trouve exprimé, par exemple, dans les écrits du Baron de Lahontan et de Jean-Jacques Rousseau. Mais le génie de Thériault est qu'il parvient à travailler suffisamment cette figure de l'Indien pour l'arracher au stéréotype. La précision des revendications territoriales d'Ashini illustre bien ce processus de transformation, de même que les rapports intimes du personnage avec la culture et le mode de vie montagnais, qui sont trop solidement ancrés dans la réalité pour qu'Ashini ne soit considéré que comme un simple Indien imaginaire. Ceci sans oublier les origines amérindiennes de Thériault lui-même, qui certes n'excluent pas une certaine intériorisation de l'image stéréotypée de l'Indien, mais n'encouragent pas non plus sa reproduction à l'identique.

En dépit de son originalité et de sa nouveauté indéniables, *Ashini* s'incrit néanmoins dans une longue tradition littéraire canadienne-française, et peut être rapproché de la lignée des romans du territoire, notamment de *Menaud, maître-draveur*, une œuvre avec laquelle le récit de Thériault présente de nombreuses analogies: même indistinction générique, même style incantatoire, même tonalité prophétique, mêmes solitude et folie des protagonistes, etc. De là à considérer *Ashini* comme une simple parabole du destin canadien-français, il n'y avait qu'un pas, que certains critiques ont d'ailleurs allègrement franchi, ce qui n'a pas manqué de provoquer l'agacement du romancier: «C'est exaspérant, à la fin, cette manie de déformer les intentions des auteurs. Si je voulais écrire sur la condition des Canadiens français, par quelle aberration mentale irais-je le faire en utilisant des Esquimaux, des Indiens ou des Juifs comme personnages?[1]». Dans les faits, Thériault cherche sincèrement à traiter de la réalité montagnaise, mais il le fait naturellement de son propre point de vue, en s'appuyant sur sa propre sensibilité. Dans cette perspective, le roman se déploie sur plusieurs plans où s'entrecroisent le singulier et le collectif, le local et l'universel, le personnage d'Ashini étant à la fois un chasseur montagnais, décrit par un écrivain canadien-français, et un homme tout court, quasiment réduit à sa plus simple expression et rendu à son dénuement total.

Ashini, le premier et le dernier homme, rêve donc de redonner à son peuple sa liberté et sa dignité perdues. Pour ce faire, il espère parlementer, d'homme à homme, avec le Grand Chef Blanc, mais naturellement ce sera peine perdue. Ce dernier ne se présentera jamais au rendez-vous fixé par le vieux chasseur innu. Thériault semble nous suggérer ainsi qu'il est impossible de faire concilier les codes sociaux des peuples traditionnels et des nations modernes, et que l'homme seul est appelé à devenir de plus en plus marginal et condamné à disparaître. C'est ce qui explique, sans doute, l'omniprésence, dans le roman, du schème de l'engloutissement. Comme Menaud, qui assiste impuissant à la disparition de son fils Joson, emporté par la débâcle, Ashini perd le premier de ses deux fils, le plus semblable à lui, au terme d'un accident: le jeune Montagnais est entraîné sous la glace d'un lac par la débâcle imprévue d'un torrent; il parvient à échapper à la noyade, mais il finit par mourir de froid dans la solitude de la nuit. Quant au deuxième fils du vieux chasseur, il est tué par la balle d'un Blanc ivre au moment où il est en train de reconnaître un terrier dans un fourré. Les enfants d'Ashini sont ainsi menacés d'être engloutis par les éléments, l'un par l'eau, l'autre par la terre, préfigurant en cela le destin qui guette le peuple montagnais, qui menace pour sa part d'être englouti par les forces terribles de l'Histoire.

Ashini illustre ainsi le terrible conflit entre deux temporalités difficilement conciliables, qui se trouvent sans cesse mises en présence l'une de l'autre dans la trame du roman: le temps mythique des origines et le temps profane de la modernité. D'un côté, Ashini montre qu'il est en mesure d'entrer en contact, sur le plan imaginaire, avec l'histoire la plus ancienne de son peuple, celle des Abénakis qui ont été forcés de franchir le «Père des eaux», le Saint-Laurent, pour monter vers le nord, vers l'Ungava. D'un autre côté, sur le plan de la réalité concrète, le vieux chasseur se trouve confronté au temps des Blancs, incarné par le développement rapide des villes minières et portuaires de la Côte Nord, ainsi que par la face cachée, inavouable, de ce développement: les réserves indiennes. Ashini rôde donc en marge de celles-ci, sorte de fantôme issu des temps passés et revenu de la mort pour hanter les vivants.

Mais le personnage d'Ashni communie aussi avec un temps encore plus fondamental, antérieur celui-là à l'être humain: le temps de la grande nature inviolée et des animaux, où se sont manifestées les formes archaïques de sociabilité, celles des premières meutes de loup qui se sont unies, sous la gouverne d'un chef, pour chasser le grand gibier. Deux mythes relatifs à l'image du loup servent ici de mises en abyme du roman: l'histoire de Huala, le premier chef de meute, qui propose une vision idéalisée du rôle qu'Ashini rêve de jouer auprès de son peuple, et l'histoire de Kaya, le vieux loup sur le point d'être détrôné par son jeune rival, cette fable symbolisant pour sa part le destin qui guette les Montagnais et les peuples traditionnels en général.

Cette image de la meute, du *pack* de loups, ne suffit pas à rendre compte toutefois de la posture singulière du personnage d'Ashini par rapport à son peuple, une posture à la fois solitaire et solidaire, comme Camus l'a bien exprimé dans «Jonas», une des nouvelles de *L'exil et le royaume*. Pour Thériault, la meute est à la fois nécessaire et mortifère, puisqu'elle ne permet la survie de l'espèce qu'en échange de la soumission, voire de la mort, de l'individu. C'est ce qui explique la position paradoxale d'Ashini, qui se pose en sauveur de son peuple mais qui est incapable de se plier aux lois du clan, aux impératifs de la vie en société. Pareil à un nouveau Perceval, Ashini ne peut vivre ni avec son peuple, ni sans lui, et il reste par ailleurs un héros ambigu, comme l'exprime bien le motif, structurant tout le récit, de l'affrontement sans cesse différé, du combat qui n'aura pas lieu, un motif qui évoque celui qui était présent dans *Le Dompteur d'ours*, et qui avait déjà été exprimé de façon magistrale dans *Le Désert des Tartares* (1940) de Dino Buzatti et *Le Rivage des Syrtes* (1951) de Julien Gracq. Comme dans ces deux romans, l'adversaire ne se manifeste pas dans *Ashini*, pour la bonne raison que le temps de l'affrontement direct, d'homme à homme, est dorénavant révolu, relégué dans les antichambres de l'Histoire.

On ne peut s'empêcher de penser ici à deux figures littéraires, celle de Don Quichotte, qui rêvait d'exploits chevaleresques à une époque où la chevalerie appartenait déjà au passé, ne trouvant d'autres adversaires que des moulins à vent, et celle du capitaine Achab, lancé dans une lutte à finir contre la baleine blanche qui lui a arraché une jambe. Quand on y regarde bien, Ashini est une sorte de Don Quichotte, d'origine montagnaise et d'essence tragique, qui lutte à sa façon contre ses propres moulins à vent, dont le plus menaçant s'avère ce Grand Chef Blanc plus fantasmatique que réel. L'épisode du suicide d'Ashini, qui s'immole sur le poteau de bois blanc où est clouée l'affiche odieuse de la réserve indienne des Betsiamits, évoque d'ailleurs la fameuse image des moulins à vent de Don Quichotte. De la même façon, Ashini ressemble aussi au capitaine Achab, en ceci qu'il lutte à sa façon contre sa propre baleine blanche, incarnée par le Grand Chef Blanc, dans un combat perdu d'avance. Cette vision doublement tragique nous laisse percevoir le pessimisme de l'auteur québécois quant à la survie des peuples autochtones et, partant, d'une certaine conception de la vie et de l'existence dans un monde en transformation rapide.

Le suicide d'Ashini semble ainsi annoncer la mort de l'être humain, et il convient de souligner que dans cette perspective le roman de Thériault tranche radicalement avec l'optimisme qui caractérise les débuts de la Révolution tranquille. On ne peut manquer d'effectuer une fois de plus un rapprochement avec le génie visionnaire de Herman Melville, qui fait paraître en 1850 son *Moby Dick*, un roman qui prédit la faillite à terme de la civilisation industrielle et de la poussée vers l'Ouest, et ce au moment même où l'Amérique triomphante du président Andrew Jackson prend forme. Ce lien entre *Ashini* et *Moby Dick* n'est pas fortuit, d'autant plus que la figure de l'Indien occupe aussi une place centrale dans le roman de Melville, l'un des trois harponneurs du Pequod étant un Indien de Gay Head, promontoire occidental de l'île de Martha's Vineyard, qui était peuplé à l'origine par un groupe algonquien. C'est d'ailleurs cet Indien, Tashtego, qui sera le dernier à couler avec le navire, sous les yeux du narrateur Ishmael. Dans cette optique, il est permis de supposer que le personnage d'Ashini joue, dans le sillage de son devancier Tashtego, le rôle symbolique de la victime propitiatoire, qui se trouve sacrifiée sur l'autel de la modernisation.

Jean MORENCY
Université de Moncton

[1] Yves Thériault, *Textes et Documents*, Montréal, Leméac, 1969, p. 61.

1

Quand elle fut morte, j'ai lié sa jupe aux chevilles. J'ai attaché ses mains qu'elles ne ballent point. Puis du tronc des bouleaux proches j'ai déroulé de longues lanières d'écorce dans lesquelles j'ai enseveli le corps flasque et encore tiède.

Avec mes mains et mon couteau j'ai creusé au pied d'un grand pin la couche d'aiguilles et la terre meuble.

Une fosse en ouest, que la femme sache voyager tout droit vers le pays des Bonnes Chasses.

Sur le tronc du grand pin j'ai gravé le signe du repos.

***

Le premier de mes fils dort au lac Uishketsan, noyé durant une crue de printemps. Un Blanc puant le whisky m'a tué l'autre pendant une chasse. Un accident.

Ma fille a fui la forêt pour servir les Blancs, à la ville.

Maintenant la femme est morte, et je suis seul.

Ashini, dernier sang de la grande lignée qui est venue des contrées du sud et s'est fait un monde en cette forêt de l'Ungava.

Dernier sang puisque les autres habitent près de la mer, à l'embouchure des rivières, retenus là par les faveurs hypocrites des Blancs. Vendus aux Blancs pour des pitances.

Ashini, moi, le roc, le granit tenace, la haute pierre des sommets mangée par le vent, polie par les pluies froides.

Ashini, possiblement roi de tout ce grand lieu.

Seul de cette semence, seul de cette servitude.

Mais seul.

Je crois que je voudrais savoir pleurer.

J'ai repris les trails d'ours pour remonter vers le pays plus montagneux entre la Mécatina et la Goynish.

Je me suis retourné deux fois pour offrir avis et la sente était déserte derrière moi.

J'ai marché ce jour-là jusqu'au tard du soir et sans manger je me suis enroulé dans ma laine pour dormir. À l'aube, un huard cria près de moi au bord du lac et alors j'ai mangé un peu, deux bouchées de bannock.

Ai-je bien soixante ans? On m'a dit que je suis né l'an des porcs-épics qui a suivi le temps de la mort des arbres feuillus. Cela est bien soixante ans en arrière. Je n'en saurais point jurer.

Ai-je vécu?

Tout s'estompe déjà. La fille à peine en allée je n'arrivais pas à me souvenir d'elle. (Pourtant dure et brune, solide comme de la terre chaude de juillet. Je savais cela. Et peut-être son visage et le cri de sa bouche quand elle m'appelait d'une rive à l'autre du lac. Et sa chanson... Mais son regard? Ses mots...?)

Mes fils sont entrés aussi dans ce brouillard où je ne sais rien reconnaître. L'aîné était fidèle au sang, comme moi, grand comme je le suis, savant en chacune de nos sciences. Comme je le suis.

L'autre voulait descendre vers Mingan, ou Betsiamites. Celui-là croyait aux Blancs. Si bien qu'il a été tué de la balle d'un Blanc.

(Je te le dis comme c'est arrivé. Le Blanc a cru voir bouger dans un fourré. Comme il avait bu, ses sens étaient émoussés. Il a tiré et celui qui était dans le fourré à reconnaître un terrier a été tué. Mon fils... le dernier...)

Puis la femme.
Puis la solitude.
Il me fallait apprendre heure par heure le secret de la solitude. Comment vivre seul, cheminer seul, dormir seul, manger, décider...

Dans le pays montagneux, j'ai cherché des pistes. Une bête de consommation: un lièvre ou un porc-épic. (Les porcs-épics sont revenus cette année, il y aura du pécan et la trappe sera bonne.)

Je n'ai trouvé que des traces de visons d'été, dont la chair est coriace. Alors j'ai tué la première perdrix qui jaillit d'un bosquet et je l'ai mangée sur place, parce que la faim me tenaillait.

Le soleil était haut, il marquait midi.

La forêt était silencieuse sous la trop grande lumière d'été.

Il n'y avait que des guêpes à bourdonner sans cesse près de moi, me harcelant pour que je reparte et que je libère les parages.

Au décroît du soleil, je suis reparti.

Je ne savais pas où j'allais.

Vois-tu, c'est ainsi que l'homme apprit autrefois tant de choses dans ses forêts anciennes. Il errait seul et il ne savait où aller. Alors il prenait le temps de s'accroupir pour regarder vivre le ras de sol. Il grimpait aux arbres pour regarder vivre le ciel. Et s'il entendait la voix des bêtes ou du vent, celle des eaux et celle des ramures, il les écoutait jusqu'à les connaître.

Je crois aujourd'hui que le bien de l'homme est sa solitude et qu'il perd tout moyen lorsqu'il se joint à d'autres hommes.

Attends, je le dis mal.

Bien sûr, j'aurais voulu que revienne ma fille, que renaissent mes fils, que se lève ma femme de sa fosse sombre. Mais je sais bien aujourd'hui que ma grande pensée n'est venue qu'en la solitude.

Alors que je n'avais rien autre, rien ni personne, seulement le désir effrayant de ne pas périr sans avoir laissé des marques profondes en ce pays des Hommes.

Il s'est écoulé deux mois. Deux mois pendant lesquels pour toute réponse à mon cri d'appel ne sont venus que la détonation de mon fusil, le cri rauque d'un engoulevent, le hurlement des loups ou le rugissement d'un torrent déchirant la montagne.

De deux mois je n'entendis vraiment en moi-même que le battement de mon cœur quand me venaient des larmes que je n'avais pas le droit de laisser couler.

S'il est vraiment un pays de Bonnes Chasses en haut du Plus Grand Lac et qu'y habitent ceux de mon sang, mes causes et mon issue, répondrez-vous une fois, cette seule fois et rien de plus, lorsque je crie dans mon désert...?

2

Maintenant, les soirs sont pris de froidure sèche, venteuse. Et la gelée blanche couvre les feuilles du matin et le sol uni.

Bientôt, les lacs figeront, la glace envahira tout et les premières neiges viendront, dures et gelées.

Il faut un feu de nuit et je ne dors plus sur les platins mais je me blottis dans l'encoignure des roches ou sous les bosquets.

En peu de temps, il faudra que j'érige un abri de sapinages et de mousse.

Mais ce sera le temps de la fourrure et je pourrai piéger des bêtes dont au printemps j'échangerai la peau pour mes besoins d'homme.

Je n'ai rencontré personne depuis que je suis seul. J'habite les arrière-pays. Plus à l'ouest et plus en sud se trouvent les grandes mines de fer, les villes neuves, les chemins de fer et sur la rive du Golfe, le long de la Côte-Nord — comme la nomment les Blancs — une civilisation grandit.

Moi, je suis dans une contrée encore peu connue, où il n'y a que de rares errants comme moi, des solitaires qui sont les mauvais loups du *pack*, les enfuis, les exilés.

Mais ces autres, ces compagnons de grand ciel, pendant longtemps je n'en ai point rencontré l'ombre d'un seul. Fût-il Nascapie, ennemi de mon sang, ou Cri, ou Waswanipi, fût-il même un dernier vivant de l'ancienne race papinachoise, personne. Mes échos seulement dans l'immensité.

Puis, à la fin de septembre, j'ai rencontré Kakatso. Il m'est apparu, plutôt, un soir que j'étais devant mon feu, à ne penser à rien. Avec la nuit de lacs bleus, de ciel crevé d'étoiles.

La nuit était légère, portée par le vent froid, soulevée de terre on eût dit. Dans les lointains, des sons d'habitude, oiseaux de l'ombre, *pack* de loups en chasse, grognement impatient d'un ours inquiété.

Je n'ai perçu aucun bruit d'homme et soudain Kakatso était devant moi. Il parla avant que je puisse le mettre en joue et tirer.

— *Meltepeshkao*!

En effet, c'était un belle nuit. Mot d'entente. La salutation qui renoue les sangs.

— Bon.

Je pouvais poser près de moi le fusil.

L'homme était un Montagnais. À la lueur du feu je vis tout de suite les cheveux tressés à chaque tempe, le haut visage placide, le regard impénétrable. Je l'avais déjà vu, déjà connu, je crois.

Il n'était pas un Nascapie aux traits métissés, un Cri trop maigre et mal nourri, un Waswanipi aux yeux fourbes. C'était, comme moi, ce venant de nuit froide, un descendant de la grande race abénakise. Un venu du sud, un chercheur de forêt riche.

Il prit place devant moi, de l'autre côté du feu.

Je lui ai tendu ce qui restait d'un lièvre frais grillé mais il secoua la tête.

— J'ai mangé à deux vallées d'ici. Je voyage la nuit.

— Et le jour aussi?

— Oui.

Il me fallait attendre qu'il en dise plus long, selon son vouloir.

Il m'observa longtemps et je savais que son regard fouillait en moi comme mon regard fouillait en lui. Il en apprenait sur moi autant que j'en savais sur lui, par cet examen.

(Ainsi, celui-là était un solitaire comme moi car une déchirure de son vêtement, sur l'épaule, avait été reprisée avec du fil de coton, ce fil des Blancs. Si cet homme avait une femme, elle saurait recoudre avec la babiche fine, mâchée et filée entre les dents, qui rend la pièce réparée plus solide encore que le tissu d'alentour. Et c'était un trappeur, comme moi, car il avait la paume des mains teinte par le suc des glandes de vison et de martre. Il venait du sud car pendait à sa ceinture une peau de lièvre encore tachetée de brun, puisque le froid là-bas est moins vif et la mue des bêtes plus tardive.)

— Je suis Kakatso, dit-il.

Kakatso, le Corbeau. Un nom de bon accord pour cet homme au visage hautain et mince qui était plus grand que moi et semblait un corbeau perché, m'épiant. J'avais entendu son nom déjà. Il était comme moi un solitaire.

— Et je suis Ashini, dis-je.

— Le Roc, murmura l'homme. On t'a bien nommé.

Je suis grand aussi, d'une façon plus grand que la plupart des miens, bien que plus petit que Kakatso le Venant. Mais j'ai l'épaule solide, le bras musclé. J'ai aussi la ténacité du roc, je suis une muraille que l'on devine et sur laquelle vient se briser toute volonté.

J'ai levé la main, paume ouverte, et il a fait de même.

Puis nous sommes retombés dans notre silence.

Plus tard il a bougé quand a rafalé une bourrasque froide montant du lac proche et courant au ras du sol. La flamme du feu s'est couchée et Kakatso a murmuré quelque chose que je n'ai point saisi.

Puis il a répété aussitôt:

— On a parlé de toi, aux fourches de la Mécatina.

(Jointes à la source et conjointes à la moitié du parcours, les Mécatina se sont dédoublées quatre jours avant la Côte. C'est un point de halte, un rendez-vous pour les errants de langue montagnaise.)

— Je voulais passer là. Ensuite, je ne voulais plus.

On avait dû raconter la mort de mon fils.

— Je t'ai peut-être cherché, dit Kakatso.

C'était plus qu'il n'en allait admettre.

— Désormais, je suis seul, dis-je. Mes fils sont morts. Ma femme est morte.

Il resta impénétrable car il est malséant de s'étonner. Les bonnes mœurs de notre race imposent cette immobilité, cette impassibilité.

(Je te le dis, vois-tu, pour que tu saches tout de nous. Maintenant que je suis loin et inaccessible, où apprendras-tu ce qui est et doit être, ce qui n'est pas et ne doit pas être? Sinon dans ce livre de sang. Tu es probablement un Blanc qui se croit savant et n'a jamais appris la seule science qui compte, celle de vivre.)

— Où est-elle morte?

— Au lac N'tsuk.

— La femme a de la loutre la souplesse, l'industrie et la gaieté, dit Kakatso. Il est bon que ta femme soit morte au lac de la Loutre.

— Oui.

La fumée monta du feu dans l'air soudain immobile. Elle se tordit en une sorte de spirale lovée. Noire sur le bleu profond du ciel, contre le chemin de lune neuve qui pontait le lac jusqu'à nous.

Un insecte tardif, dernier avant le gel continuel, crissait dans la mousse tout près de moi. Je l'ai cherché de la main pour l'écraser puis j'ai retenu le geste. Pourquoi devrait-il mourir alors que je vivrais? Ne pouvait-il ériger quelque cangue où se blottir et attendre le renouveau?

Je n'aurais point de renouveau, moi. Seulement le dernier pas trébuchant à accomplir dans un an, dans dix ans, pour tomber sur quelque talus désert.

Et mourir en regardant les arbres.

Et mourir en regardant le ciel.

Et léguer mon corps de viande fraîche aux bêtes à fourrure qui en tireraient ainsi un sursis et qu'un homme plus jeune, mon successeur dans la solitude, piégerait au moment voulu, afin de gagner lui aussi un sursis.

La marche lente, cyclique, du mécanisme. En changeras-tu un seul élan? En modifieras-tu la course?

Il est au pays des Bonnes Chasses où vont les doux de cœur et les chasseurs habiles, des êtres qui sont des dieux, les Manitout, ordonnateurs, maîtres des choses qui nous entourent, maîtres de nous qui leur obéissons. Seuls ils pourraient changer la course des astres et la croissance des plantes.

Mais il y a si longtemps qu'ils m'ont oublié, moi, peut-être ne savent-ils plus comment mener le monde...

Les Blancs, qui ont inventé un Dieu, auraient-ils conçu le Tshe Manitout suprême, si grand qu'il est bien au-dessus des miens, les dieux humbles qui se contentent des contrées sauvages et ne sauraient point gouverner les métropoles?

Ou alors, plutôt qu'un Tshe Manitout plus fort en sa justice, un Metse Mento, un diable de grande puissance capable de gouverner tout, même les villes, même les avions, même les Blancs qui puent le whisky, et raison de plus les errants solitaires comme moi et leurs Manitout sans gloire?

Je voudrais croire à quelque chose et je ne trouve rien qui soit plus fort que tout, meilleur que tout, indéfectible et suprême.

Je ne saurais plus m'inventer de nouveaux dieux.

— Maintenant, que feras-tu? demanda Kakatso.

(Et je compris qu'il m'avait cherché à cette seule fin de m'aider si j'en manifestais le besoin. N'est-ce pas ainsi que nous nous tenons par les plus forts liens, hommes de la grande race? De ne point laisser notre frère se désespérer en vain. Et il ne savait même pas alors que ma femme était morte. Seulement que mon dernier fils vivant avait péri noyé.)

— J'ai tout le pays à parcourir, dis-je. Je continue.

(Continuer, c'est un dessein de logique. Pour qui sait se relever et continuer, la tempête devient clémente, le froid moins mortel, le mal moins acharné, le destin plus propice. Tomber, certes, qui en est exempt! Puis se relever. Puis continuer.)

— Ce que j'ai toujours fait, je continue à le faire.

J'ai montré le pays d'un geste du bras enveloppant tout.

— Il y a de la viande fraîche pour me nourrir, des ramures pour m'abriter, de la fourrure à piéger et l'air pur à respirer.

Et les montagnes à contempler et les étoiles à admirer et la lune froide de novembre à invoquer et tout ce qui est beau et bon et qui nous enveloppe et nous tient, la saveur du vent, l'odeur de l'eau blanche, la senteur des sapins, la musique de tous les sons de ce pays.

Émigrer pour chercher quel autre pays? Et dans quelle géographie le trouver plus majestueux, plus vert et plus sain?

— Tu continueras, conclut Kakatso, c'est une bonne chose.

Lui qui errait seul comme moi savait bien qu'il eût été lâche de tout quitter.

Poursuivit-il sa pensée lorsqu'il me dit:

— Tiernish, désormais seul, est descendu vers Betsiamites. Il habitera chez sa sœur, à la réserve. Pikal aussi va aux Betsiamites maintenant que son fils étudie les sciences des Blancs à la ville. Cela fera deux de moins parmi nous.

Deux lâches.

Pikal, ce drôle d'homme trop court, malingre, qui n'avait jamais su vraiment retrouver son chemin dans la forêt, comme s'il lui eût été versé aux veines quelque sang inférieur de Blanc ignorant...

Tiernish, meilleur homme, mais qui se construisait des camps de billots plutôt que des abris, et vidait le canton de tout gibier, par seule paresse d'aller plus haut dans les portages, une tâche qu'il prétendait inutile.

À la réserve on le choierait, dernier transfuge qu'on féliciterait. Il lui serait donné gîte, pension, argent. On ferait de lui un exemple pour les enfants.

«Voyez celui-là? Il est sensé, il est intelligent. Il ne reste pas à vivre misérablement dans les bois. Il vient ici, où les Blancs seront bons pour lui. Allez, petits, apprenez le français, oubliez votre langue, méprisez la forêt, on vous offre le paradis sur terre. On vous offre, c'est inouï, de faire de vous des Blancs! N'est-ce pas le comble de l'entendement et de la générosité?»

Tiernish, Pikal, deux de plus là-bas, deux de moins ici. La forêt vidée, redevenue le pays du silence, redevenue le royaume des acharnés comme moi, comme Kakatso, comme Misesho, comme Uapistan, les derniers restants. Sommes-nous maintenant douze, ou vingt?

Je ne saurais dire.

Il y eut tant de lâches, tant de traîtres, tant de transfuges...

Un loup hurla, voix-symbole, repoussé lui aussi vers les arbres rabougris du haut Nord, refoulé, honni, banni...

Comme moi, comme nous.

«Viens, petit, qu'on fasse de toi un Blanc...»

Après, Kakatso a dormi, et moi aussi, tous deux encerclant le feu jusqu'aux rosées glaciales du matin d'automne.

Nous avons pris nos chemins, opposés mais semblables, et à midi ce jour-là j'étais de nouveau seul et plus seul encore que je n'avais imaginé, puisque deux de moins ne croiseraient plus mes sentiers possibles.

* * *

Qu'il soit gens de hautes pentes ou gens de vallons tortueux, l'homme scrutateur de pistes comme moi n'a pas craint la solitude s'il n'a jamais eu d'autre sort.

C'est d'avoir été et de ne plus être qui arrache à l'homme le dernier lambeau de sa joie. Il n'est point de science plus simple que celle de marcher seul dans un sentier.

Mais il n'est point de science plus complexe que de parcourir seul des sentiers où d'autres auparavant cheminaient avec soi.

Voilà où se situait la première étreinte de mon mal, sa racine douloureuse. Quel cri d'appel pousser pour que l'on me réponde?

Mes yeux ouverts ne voyaient que la contrée vide d'êtres. Mon odorat ne percevait point d'odeur familiale. Mes mains n'empoignaient que des échos silencieux, rebutés de vent tournoyant en déséquilibre.

Et pour me solacier, l'unique évasion, celle de rentrer en moi-même y retrouver mes souvenirs.

Mais pourquoi ne revoyais-je alors que l'agonie de la femme, lente et agitée, cruelle aussi? Et non la vie d'amour ancienne?

Pourquoi ne pouvais-je revivre des dialogues de paix au bord des soirs, avec celui de mes fils que le Blanc ivre avait abattu? Et pourquoi ne pouvais-je revoir pour toute évocation que le trou violet dans le dos brun et le sang sur les feuilles vertes?

De ma fille, la seule image de sa fuite alors qu'elle nous quittait sans se retourner et sans entendre ma plainte?

Assis sur la mousse rouge de juin, j'ai revu la noyade de mon fils aîné. J'avais examiné les lieux de sa mort. Par les signes, j'en avais reconstitué toutes les étapes il y a longtemps.

Pourquoi ne pouvais-je aujourd'hui évoquer nos chasses, silencieuses et pourtant éloquentes? Pareillement minces et grands tous les deux, pareillement habiles, lorsque nous avions traqué un caribou et que nous savions devoir en consommer la viande fraîche le soir même.

L'appel de ce caribou venant sur les vents, porté de vallée en vallée, futile et désespéré. Un cri semblable à celui, refoulé et aphone, que je lançais aujourd'hui en songeant à ce fils aîné qui eût fait tout mon honneur et nourri toute ma complaisance...

Ce soir-là, veille de sa noyade, mon fils Antoine Ashini fit un feu, dépeça un lièvre qu'il avait tué durant le jour et l'apprêta pour son repas du soir. Après, il dormit. Mais déjà, dès minuit, le temps changeait brusquement. Du froid vif de la journée, l'on passait en montée rapide à une tiédeur menaçante.

À l'aube, la neige fondait et l'eau coulait partout le long du sol. D'un coup, la glace du torrent céda et l'eau dévala des hauteurs. C'était une masse énorme qui se ruait sur les basses terres. Antoine, éveillé, tenta de fuir, mais il était trop tard, l'eau l'atteignait, il était emporté vers le lac. Ce fut un combat comme il n'en avait jamais soutenu; de toutes les forces de ses muscles et par instinct plus que par calcul, il tenta de résister à cette puissance qui le charriait comme un fétu. Il s'arc-bouta, battit des bras et des jambes, s'accrocha à toutes les aspérités sur son passage. Mais l'eau fut la plus forte. Moulu, contusionné, il fut entraîné dans le lac. Et brusquement, il se trouva dans l'obscurité. Une masse terrible lui enserrait la poitrine. Il étouffait, il avalait de l'eau et plus il se débattait, plus il se butait sur quelque chose, une couche solide, un plafond qui le retenait, qui l'empêchait de passer.

Soudain, il comprit. Le torrent l'avait entraîné dans le lac et projeté sous la glace. Pour se sauver, il devrait agir immédiatement. Il songea à trouver l'endroit où la glace avait été rompue, mais il y renonça tout aussitôt. Il ne savait dans quelle direction aller. Se trompant, il risquait d'avancer encore plus au large et ce serait la mort certaine. Ces pensées le traversaient comme des éclairs.

Il raisonna aussitôt que la glace sur le lac n'était pas assez épaisse pour porter un homme. Il tira son couteau de la gaine, appuya une main sur la surface au-dessus de lui et frappa à grands coups. Mais il effritait à peine l'obstacle. Un poids à la jambe lui rappela qu'il s'était endormi avec sa hachette enfilée dans la gaine. D'un geste rapide il laissa choir le couteau inutile au fond de l'eau.

Avec le nouvel outil il eut de meilleurs résultats. La glace céda, petit à petit. Les poumons près d'éclater, la tête bourdonnante, Antoine pratiqua d'abord un trou grand comme la main, puis assez grand pour se passer la tête. Il alla vitement respirer par ce trou. Il était sauvé. Il replongea et, comme il était bon nageur, il n'eut aucune difficulté à agrandir le trou, à le rendre praticable. Mais un problème restait, celui de la glace trop mince. Il réussit tout de même à se hisser hors de l'eau. Puis, étendu de tout son long, il se glissa sans imprimer de secousse à cette surface instable; il put ainsi se rendre presque au bord. Là, l'eau étant peu profonde, il se mit debout et termina le voyage en enfonçant dans la glace friable, et en marchant à pas hauts jusqu'au sable.

Quand il y parvint, épuisé, il se laissa tomber et perdit conscience.

Mais la température changea de nouveau. L'instant doux fut suivi d'un froid mordant. Quand Antoine s'éveilla, il était transi et un frisson lui agitait tout le corps. Péniblement, il parvint à se hisser jusqu'à son bivouac de la veille. Il restait du bois sec qu'il avait caché sous les buissons. Il alluma vite un feu pour chasser ce froid qui le gagnait. Mais ses mains tremblaient tellement qu'il gaspilla presque toutes les allumettes de l'étui étanche avant de réussir à faire flamber le bois.

Affalé tout contre le feu neuf, il tenta de se réchauffer. Mais il eut beau empiler les branches sèches, il eut beau chercher à se rapprocher davantage du brasier, le frisson le tenait toujours et les dents lui claquaient dans la bouche. Il aurait bien retiré ses vêtements trempés, mais il n'avait aucune rechange. Demi-mort il se traîna à quatre pattes jusqu'à la réserve de bois sec. Mais le feu vif ne fut d'aucun secours. Il se sentait la tête chaude, et il respirait difficilement. Bientôt, il râla. Et alors, terrassé, il s'allongea en rond autour du brasier et il perdit de nouveau conscience.

Dans son sommeil, il cria, il délira, il vécut des heures atroces. Mais personne n'entendait ses cris, ni ses gémissements, et finalement le feu mourut et seul le froid resta, pesanteur sinistre, enserrant Antoine.

Nous l'avons trouvé deux jours plus tard, et dans la mort son visage était tordu comme une face de damné.

3

L'année de ma naissance, hors le retour des porcs-épics partis depuis cinq ans, il y eut une migration de visons noirs et mon père en tira un augure.

— Tu étais bien venu parmi nous, délégué pour aider aux bonnes chasses, me dit-il quand j'eus douze ans et l'âge du premier caribou.

Je sus bien vite que je n'étais issu d'aucun dieu car je souffrais du froid comme les autres, et si je me blessais, le sang coulait rouge et non blanc pur comme l'est le sang des Manitout.

Et si un temps j'eus l'orgueil de ma prétendue lignée suprême, je dus vite déchanter. J'étais, moi aussi, un Montagnais comme ceux avant moi, soumis aux Blancs.

Mais dans les confins pourtant cadastrés de ma forêt, je me crus libre si longtemps que ma soumission prit forme de faux présage.

J'allais être un homme, quand j'appris la vérité.

— Il ne faut pas, me dit mon père en m'instruisant, que tu ailles chasser là où le mont Uapeleo — le mont de la Perdrix Blanche — se dresse contre le Plus Grand Lac. En haut de ce mont c'est le Pays des Bonnes Chasses où ne vont que les morts élus. À l'ouest du lac, c'est le pays des Blancs où le saumon des rivières est interdit aux gens de ta race, où la fourrure des bosquets n'est qu'aux Blancs, où si tu chasses tu ne seras plus un Indien mais un Blanc. Veux-tu être un Blanc?

Je ne répondais pas, même en ce temps, aux questions comme celles-là. Il est des utilités plus logiques à la parole.

Être un Blanc, moi?

Moi, Ashini, dur comme pierre, fils d'Uapekelo, le Hibou Blanc qui sait planer au-dessus des forêts comme un nuage de printemps?

Hors donc ces frontières (et il restait quand même grand comme le plus grand des pays où voyager en maître), je n'avais à traiter avec les Blancs qu'aux moments des échanges. Des mauvais moments dont je sortais toujours humilié, déçu, frustré.

Mais je n'en ferai pas le propos de ce livre, le seul qui sera jamais écrit sur ma race mourante dont personne ne sait plus vraiment l'existence comme la fierté.

J'ai grandi libre. Mais ma liberté était celle de l'oiseau en cage. Il est des cages qui sont des volières où un oiseau peut conserver en lui l'illusion du grand ciel et des plongées infinies. Il est aussi des cages étroites comme des prisons.

J'habitais la grande cage, volière immense pour le libre faucon que j'étais.

Mais c'était en me mentant à moi-même que je me sentais libre. Aurais-je pu, à ma guise, avironner le canot de l'ensablure de Natashquan jusque vers les hauts du fleuve, libre de tuer la viande fraîche, de pêcher le poisson à mon gré, d'aborder quelque endroit qui me plaise?

Ou bien trouverais-je en bordure de ce fleuve autrefois ma voie royale, toutes les villes des Blancs, les lois des Blancs, les clôtures et les contraintes des Blancs? Étais-je encore, sur ce parcours d'eau, le roi visitant son royaume?

N'entendrais-je pas, à chaque tournant, à chaque accostage, à chaque tuée nécessaire le même cri que nous connaissons bien maintenant: «Va-t'en, maudit sauvage!»

Il est des langues pures que l'usage aux colonies déforme. Je comprends qu'il existe là un phénomène d'accord. Aux peuples d'éloignement qui ont fait de la langue mère une douceur et une joie appartiennent le cœur doux et la pitié sereine.

Aux usurpateurs, aux intolérants, la rêcheur d'une langue enlaidie et corrompue.

«Va-t'en, maudit sauvage!»

Il n'est point de langue douce qui sache prononcer de tels mots envers ceux mêmes qui montrèrent durant des millénaires la figure de l'homme aux forces instinctives de la nature, qui parcoururent en maîtres bienveillants ces forêts sans jamais en décimer la faune, sans jamais en incendier les arbres, sans jamais en violer les versants d'eau. Maîtres bons, adaptés à la nature, incapables d'en déséquilibrer le rythme.

En ma langue, si étonnant que cela puisse paraître, il n'est pas de mot pour crier aux intrus: «Va-t'en, maudit Blanc!» Peut-être aurait-il fallu inventer ces mots avant qu'il ne soit trop tard?

Je ne les ai pas inventés, ni mes frères, et mes fils pas davantage.

Nous avons donc vécu en notre cage immense, contenus tout en nous imaginant être libres.

Et il m'est arrivé ce qui arrive à tous ceux de mon genre. J'ai tiré ma vie de la forêt, j'y ai pris femme et enfanté des petits et nous avons erré à la suite des migrations de bêtes, à la suite des crues saisonnières, au gré des vents, de la neige et du soleil, pour atteindre finalement le terme dévolu à chacun de nous.

4

Pourrais-je vraiment dire à quel instant m'est venue la Grande Pensée?

Je ne sais reconnaître que l'influence de ma solitude, qui me faisait désormais plonger en moi pour trouver un commerce d'homme. Seul en mes sentes, loin de tout dialogue, je n'avais que moi-même à interroger et mes seules réponses à entendre.

Cela me vint-il lorsque je me sentis engagé en une entreprise futile, celle de vivre seul dorénavant? Qu'étais-je et à quoi pouvais-je servir? Certes, j'avais autrefois accompli ma tâche, pris une femme, mis au monde des enfants. Mais j'avais encore ma force d'homme.

J'étais encore une bête humaine. Ma souplesse était semblable à celle de mes vingt ans. Mes muscles étaient forts. Je n'avais d'âge qu'un chiffre.

Mais point de goût pour recommencer et je n'eusse point, sachez-le, voyagé jusqu'au groupe où trouver quelque femme désireuse de partager mes avenirs.

Ce que j'avais à faire selon les visées normales, je l'avais accompli et n'entendais pas recommencer.

Et pourtant, un mal sourd me tenaillait, de n'être point voué à quelque travail utile. Je tuais pour me nourrir, je piégeais selon mes besoins. J'allais d'une tête de lac à une décharge, du bas d'une rivière à sa source, de l'embouchure d'un torrent jusqu'en haut des rapides, mais sans autre besoin que le mouvement constant, le déplacement sans but précis.

Maintenant que j'étais libre, je me sentais habité par des êtres jusqu'ici silencieux, jumeaux de moi en quelque sorte, longtemps ignorés et qui me pressaient d'accomplir quelque chose que je n'arrivais pas à saisir.

Et soudain, un soir, tout m'apparut en un éclair.

C'était déjà novembre. La forêt d'hiver existait depuis un mois presque. Les lacs étaient pris, les rivières calmes canguées et le flot des torrents semblait plus visqueux, plus lent.

Les sous-bois étaient épaissis par la neige, les sapinages lourds d'un fardeau blanc qui ployait les branches.

· Pour dormir, je connaissais maintenant la tiédeur, car je pouvais me blottir dans la masse isolante d'un banc de neige, y accrocher un abri bas en branchage, tirer de mon feu sa pleine chaleur.

C'était, plus qu'en automne ou que dans les humidités grasses du printemps, une ère de bonne vie dans les bois.

Point besoin de chercher longtemps la piste des bêtes à prendre, car elle se découpe nettement sur la neige. Et l'animal affamé se laisse piéger sans ruse et sans effort.

Était-ce un fruit de quiétude que je pusse, ce soir-là, laisser clairement monter de moi la Grande Pensée qui me retint tout à coup?

Sous mon abri et réchauffé par un feu vif et craquant, je regardais la nuit blanche et noire. Le froid était modéré au dehors et les arbres étaient silencieux.

Le monde entier semblait en torpeur et il se pouvait mal imaginer qu'au-delà des horizons existaient des villes immenses, tout le pays asservi par les Blancs, violé par les macadams, bousculé par les appareils du progrès.

Ici, il n'y avait que la nature immobile, et au ciel une immensité d'étoiles.

Mon pays, le pays des Montagnais.

Les Montagnais?

Puisqu'il n'était pas vraiment le pays des Montagnais, quelque illusion que j'en puisse entretenir, puisque cet Ungava, ce Labrador, cette Côte-Nord, péninsule immense comme un royaume, n'appartenaient qu'aux Blancs qui avaient déjà commencé à en user à leur guise en me refoulant moi et les autres errants jusqu'au-delà de la rivière Pentecôte, au-delà de la rivière aux Outardes et plus loin encore, pourquoi ne serais-je pas le libérateur?

L'ordonnateur d'une destinée nouvelle pour les miens?

Quelqu'un était-il déjà allé revendiquer en tout honneur et toute fierté le droit des Montagnais de vivre à leur guise?

Je ne dormis pas de cette nuit-là. J'ai fouillé tous les recoins de mémoire. J'ai examiné tous mes souvenirs. Avais-je déjà entendu dire, par mes contemporains ou par mes aînés, qu'un seul d'entre nous fût allé plaider notre cause auprès des Blancs?

Je pouvais nommer presque tous les Montagnais habitant l'Ungava. Je savais l'histoire de chacun de ceux restés en forêt et celle de presque tous les autres qui agonisaient sur les réserves. Lequel d'entre eux avait argué de nos droits, de notre héritage?

(Que de mots entendus, en des occasions où j'étais allé sur les rives et dans les villages blancs, que de discours aux temps politiques, où ces Blancs parlaient de leur patrimoine, de leur langue, de leurs traditions, des racines qu'ils avaient plongées dans les rives du Saint-Laurent, le «Père des Eaux»... Mais rien qui concernât notre héritage à nous, millénaire, et que l'on ne nous reconnaissait point.)

Cela creusa en moi, s'installa, s'acclimata.

Aucune souvenance qu'on eût esté en justice pour le rapatriement de nos privilèges. Rien qui n'ait été accompli, personne qui n'ait mené la croisade.

Moi seul.

Et puis en forme de question. Moi seul? Était-ce donc là une tâche que le destin me fixait?

Entreprise de Tshe Manitout, peut-être, sortant de son silence par-devers moi pour tracer une route à mes cheminements...?

Ma résolution fut prise ce soir d'hiver au bord du lac Ouinokapau. J'entreprendrais le long voyage vers les réserves. J'irais plaider ma cause et celle des miens.

L'exaltation m'envahit, joie immense, présence de toutes les merveilles accomplies. J'obtiendrais des Blancs qu'on nous concédât toutes les régions entre le lac Attikonak et les chutes Hamilton. Ce serait bien assez pour tout mon peuple!

Ensuite, j'irais comme le messie dont parlent les Blancs, prêcher chez les bourgades, chez les réserves, à chaque groupe transfuge des miens. Je leur montrerais le pays libre et bien à eux, intouchable à perpétuité par tout autre que les descendants de la grande race abénakise.

Je ramènerais dans ces parages les familles entières qui habiteraient ensuite chaque tournant de vallée, chaque pointe de lac, chaque berge de rivière où croissent les bonnes herbes odorantes.

Partout l'on entendrait monter le chant humain en la contrée que j'aurais libérée et qui serait nôtre.

Que les Blancs habitent le bas du pays et la droite du pays comme la gauche. Qu'ils occupent les péninsules, les plaines grasses et les bois feuillus! En nos forêts saines et sèches nous serions maîtres. On n'y viendrait dérober ni minerai ni versant d'eau. On nous laisserait le gibier des rivières comme des bosquets, les arbres et même les plus petites et les plus jolies fleurs.

Il ne serait de baies, de tendres herbes et de racines guérisseuses qui ne viennent enrichir notre bien.

L'oiseau du ciel et l'insecte, la bête et le poisson, le pin noir et le muguet timide, le thym et les genévriers, chaque caillou, chaque goutte d'eau, chaque souffle de vent, chaque perle de rosée seraient nôtres.

Et le droit incontestable de les garder jusqu'à la fin des temps.

Pour moi, je ne voulais rien d'autre que de cheminer à ma guise sur notre sol retrouvé.

Pour les miens, je voulais le sang reconquis, la fierté rendue.

Était-ce donc un propos de dément?

Je ne savais pas que la loi des justes n'a pas encore été votée en les contrées civilisées de la terre.

Il n'est qu'à nous, les primitifs, les sauvages du globe, de dispenser l'équité des jugements.

Voilà peut-être le plus grand de nos anachronismes...

5

Je ne m'inquiétais pas à cette époque de savoir éventuellement défendre ma cause. Avais-je même à en préparer l'état, à énumérer les arguments d'équilibre, à compiler le dossier?

Je demandais que l'on rendît à ceux à qui on l'avait volé, non pas l'entier d'un pays, demande illogique même en sa juste revendication, non pas le sol colonisé, mais la forêt mienne, pour qu'elle soit à tous. Une contrée où aucun Blanc n'était encore venu chercher richesse.

Un pays, en somme, désert, qui ne servait à rien et qui pouvait servir aux miens. Si peu dans la géographie...

Pourquoi n'aurais-je pas désiré porter mes demandes jusqu'aux plus hauts lieux? Devant le Grand Chef Blanc, le seul avec qui j'accepterais de discuter?

Car, de réclamer les droits d'un peuple, je devenais de ce fait l'égal d'un chef. Je ne voulais point d'honneur et je n'accepterais jamais de régner sur la tribu reconstituée. Mais au moment des palabres, je serais le chef et donc j'avais droit de traiter avec un chef.

Celui-là, je savais son nom, son état, où il habitait sur les bords de l'ancienne Ouataoua, la rivière qui menait autrefois les Agniers vers leur pays après les chasses en contrées du nord.

C'était celui que j'affronterais. Lui seul pouvait ordonner que l'on se rendît à ma demande.

Je n'imaginais même pas de barrière de langue. Je savais que parmi les Blancs il est des interprètes sachant traduire nos vocables à nous pour que les Blancs en saisissent le sens.

Et, à l'opposé de la pauvre langue des Blancs, j'offrais l'ampleur de ma langue montagnaise.

Une langue rythmique, ardente, susurrante comme le vent dans les feuillages.

Et, tel le plus humble des miens, je possédais en moi toute la richesse de cette langue, apprise sans maître pourtant, parce qu'elle s'accorde aux plus simples choses.

Et ces choses en elles-mêmes si variées, si belles, si envoûtantes que les mots pour les décrire en deviennent musique et rassasiement.

Veux-tu que je te dise comment elle est, cette langue?

Vois la montagne, elle se nomme *otso*... Mais dis-le dans un chuintement, les sons à peine portés, les lèvres demi-fermées.

Et si la montagne (*otso*) s'ajoute d'autres montagnes et devient une chaîne, c'est *nattekam*. Un mot pour chaque chose, et pour chaque chose un mot différent, un mot seul et non les phrases assemblées de tes langues pauvres.

Le sable, *lèko* et, dans l'eau, ce rocher émergeant, *tshissekats*, mais pour un rocher ordinaire, tel celui se dressant dans une clairière, *ashini*, le roc, mon nom à moi.

L'eau du ruisseau, *shipis*, et l'eau blanche du torrent arrogant, *paoshtuk*. Les vagues du lac, l'eau bleue et limpide, *e mekaits*. Les jours de brume se disent *keshkum* et quand l'orage est fini et que se dresse l'arc-en-ciel, *uikuelepeshaken*. Et si l'arc-en-ciel va d'un horizon à l'autre, *lekepeshaken sheneteo*.

Je pourrais longtemps encore t'enseigner ainsi des mots et te démontrer que si tu dois, dans ta langue, dire d'un cœur à qui il appartient, cœur de boeuf, cœur de renard, cœur d'homme, cœur de hibou, j'ai dans ma langue un mot pour chacun de ces cœurs et souvent deux mots qui sauront dire la chose réelle et l'irréalité de la chose chacun à leur manière.

Accord des vocables à la vie quotidienne, mais parce que notre vie dans l'immensité riche est grandiose, les vocables sont grandioses.

Je puis donc raconter mon récit et surprendre l'ignorant qui n'admettra pas que je le puisse en des mots plus grands que les siens.

En ma langue, je te le répète, je pourrais dire cent fois plus que ne saurait me répondre le Grand Chef en son anglais aride et froid.

J'étais mieux armé qu'on ne l'eût cru et je partis donc vers les rives de la mer, vers Betsiamites où j'espérais trouver une oreille pour m'entendre.

* * *

J'ai portagé un temps sur la rivière Pikapac. Puis par une faille transverse j'ai atteint le décroît de la Manicouagan. Aux rives de la mer, j'ai placé le canot sous une cache et j'ai marché jusqu'aux Betsiamites, en reprenant par les bois, au-delà des orées, derrière les villages des Blancs.

Aux Betsiamites j'ai cherché et trouvé Pikal.

Pikal le maigre, porteur d'amertume, le visage hâve, le regard qui n'a point reconnu les choses belles. (C'était cela le mal, je crois, qui l'avait fait fuir les seules contrées propices à notre sang et retrouver ce village de la réserve.)

Il m'accueillit dans sa maison, car il possédait maison maintenant, comme le plus ordinaire de tous les Blancs. Une bâtisse sans joie, haute, coiffée en pignon, misérable et terne.

Le seuil de porte était rongé par mille passages, usure de trente ans d'âge. Combien qui eussent foulé fièrement le sol libre, plutôt que ce bois indigne, emblème d'asservissement? Quiconque passait volontiers cette porte n'entrait-il

52

pas dans une prison organisée par les Blancs?

«Vous aurez des maisons...»

Alors la horde est accourue. Dois-je blâmer les miens? Un peu, car ils ont pénétré dans ces confins sans y être forcés. Du moins pas avec les armes de puissance. Personne ne les tint au bout d'une chaîne nouée. On ne brandit aucun fusil et les bergers du troupeau souriaient.

Il est toutefois des armes de Blancs qui sont pires que les fusils. On se défend d'un fusil. On s'évade des chaînes en maillons d'acier. On peut répondre à la force par la force.

Que peut-on faire quand des mots sont prononcés, armes en eux-mêmes, promesses, assurances, images que l'on fait miroiter?

«Vous aurez des maisons, des rues. Vous élirez un conseil de tribu et vous vous gouvernerez. L'on vous concédera un territoire sur lequel chasser à votre guise et qui sera interdit aux Blancs. Vous serez vos maîtres et vous ne souffrirez de rien, pourvu que vous acceptiez de signer ici, au bas de ce traité d'entente...»

Alors les court-pensants de ma race posèrent au bas du parchemin la croix de leur ignorance.

Que leur donnait-on et que sacrifiaient-ils?

Aux Blancs ils cédaient leur terre la plus riche, leur forêt la plus giboyeuse, leur pays le plus grand. Ils abandonnaient tout droit et ne sauraient même plus voter aux palabres des Blancs.

Et en retour, que recevaient-ils? Des maisons, soit. Mais je connais des abris de branchages qui sont des palais, car de leur flanc ouvert je découvre les montagnes intouchées et les eaux libres...

Et je sais ces abris de simples objets commodes, abattus à l'aube et reconstruits une journée plus loin, là où c'est encore l'eau libre et la montagne altière...

De la porte de leur maison, que voient les gens des réserves? Sinon pauvreté semblable à la leur. Sinon haillons semblables aux leurs. Sinon la crasse de la dégénérescence, sinon le rachitisme de leurs enfants mal nourris.

Et sous la coiffe des toits, dort-il chaque nuit l'espoir d'une aube nouvelle, ou n'est-il là que le su des lendemains semblablement tristes, semblablement monotones, stériles et vains qui dureront d'une génération à l'autre jusqu'à ce que les gens de sang, corrompus dans les écoles, aient tout oublié des choses anciennes et deviennent, inéluctablement, de faux Blancs éternels?

Ils n'ont même plus la langue, consolatrice rythmée et magnifique, sorte de bouée, sorte de phare. Même la langue disparaît pour être remplacée par celle des Blancs.

Toi, l'homme à la peau rouge, en la Cité des Blancs auras-tu ta place, ou seras-tu repoussé à cause de ta couleur, comme en tous pays de Blancs sont rejetés les Noirs, les Jaunes, les Bruns?

Qu'as-tu reçu des Blancs, pour leur avoir tout donné?

Alors qu'ils ne t'ont même pas assuré, sur leur parchemin, de l'air que tu respire-ras en tes descendants, du soleil qui te réchauffera et des eaux qui seront tiennes.

Histoire de rire, irais-tu une journée durant jouer le Blanc libre en ses quartiers riches?

Quelle patte blanche pourrais-tu mon-trer qui n'a de paumes que celles, marquées à jamais, de ton sang et de ta race? Est-il un pigment qui te fera blanc de peau, lors même que tu parlerais toutes langues de haut monde et que tu marcherais à l'an-glaise sur le ciment des trottoirs?

Pikal n'eut que peu à me dire.

Jamais nous n'avions été vraiment frè-res de sang. Quand je le rencontrais en forêt, nous ne savions causer, encore que très peu, que du temps dans le ciel ou des profits de la trappe.

Dans sa maison, il m'offrit un siège et nous avons fumé ensemble.

Il ne me confirma qu'une chose qui fût valable. Je devais m'en contenter. Aux

Betsiamites, réserve choyée de toute la Côte, un nouveau surintendant occupait.

— Celui-là, me dit Pikal, aime les Indiens. Il ferait tout pour eux.

— Tout?

— C'est ce qu'il dit.

Je suis rentré en forêt ce soir-là, et j'ai dormi sous un abri près d'un ruisseau. Il me fallait peser ce que je dirais à cet homme, qui ne m'apparaissait plus dans les mêmes termes que ceux inventés en forêt. Qu'adviendrait-il de mes augures?

C'est que j'avais, à mon tour, observé la vie de la réserve par la porte ouverte de la maison de Pikal. J'en avais vu la désespérance, mais j'avais vu aussi que les gens y semblaient liés.

Je ne sais comment cela se voit. Par l'attitude résignée, je suppose? Des épaules courbées que l'on ne pourra jamais redresser.

Et l'absence d'espoir dans le regard?

Suffirait-il que je montre les terres libres là-haut pour qu'ils marchent à la file dans mes sentiers?

Mais dans la nuit où sifflait un grand vent du nord froid comme un jet de glace vive, il est entré en mon rêve le plus grand des Montagnais des légendes, sans nom, mais qui avait le sang des héros que nos chants honorent.

Je l'ai vu tomber comme un arbre abattu, rouler le long d'un talus et glisser vers une gorge noire où il disparut.

Je crois que j'ai compris dès ce moment qu'il me faudrait pour amener à moi tous les amorphes, les transfuges et les lâches commettre un acte qui pût fouetter ce qui restait en eux de fierté.

(Quand autrefois la grande race abénakise fit face à ses ennemis, il y eut de longs combats qui durèrent bien des saisons. Mais l'ennemi était puissant. Il possédait des sciences originant des pays de haut soleil, au sud de l'horizon. Il put refouler les guerriers de ma race. Ceux qui s'enfuirent et traversèrent le Père des Eaux étaient des vaincus mais point des lâches. S'ils trouvèrent en l'Ungava la paix et le silence et la viande fraîche pour nourrir les tribus, peut-on les blâmer de n'avoir pas reconquis un pays que d'autres habitaient désormais? Sages, mais point lâches, ils recommencèrent afin que ceux avant moi puissent naître, afin que je naisse à mon tour. Je voulais simplement que se continue cette lignée, qu'elle soit perpétuée à jamais en ce pays même qui lui avait permis de survivre. Était-ce trop exiger?)

Je suis revenu au matin vers la réserve. J'ai traversé le chemin pavé. Des camions énormes y charriaient du roc. Quel autre éventrement de mes sols les Blancs avaient-ils inventé?

Ils avaient construit une ville, Sept-Îles, et imposé aux Montagnais de cette calme baie un déménagement près de la Moysie.

On les disait à construire, là où il n'y avait auparavant qu'une table de roc, un port qui se nommerait Port Cartier. (N'est-ce pas le nom de ce Blanc venu le premier et qui cajola mes ancêtres en leur promettant un dieu et un roi?)

Partout le long de cette Côte-Nord maintenant, les Blancs crevaient les granits, repoussaient la forêt, mutilaient des montagnes. Pour atteindre le minerai de fer ou de cuivre, pour harnacher les fleuves et conduire l'électricité vers les monstres exigeants des terres du Sud, que n'accomplissaient-ils?

Et pourtant, le récit orgueilleux de leurs exploits omettait-il que ces entreprises n'étaient que des fourmilières? Que les excavations n'égalaient même pas en sol creusé le lit d'une seule rivière de l'Ungava? Qu'à l'altitude du dieu ne se voyaient même plus les villes neuves, les mines, les chemins, les barrages?

Et que restaient — ma force à moi — des pays immenses de forêt encore intouchée.

Érigez vos villes!

Mimez les puissants!

Jouez les rebâtisseurs de géographies!

Il me restait encore assez de terres pour y perdre ma nation entière et la soustraire à jamais à toutes vos servitudes.

Il me fut bien facile de trouver la maison du Blanc. Elle était neuve et claire alors que les maisons des Montagnais étaient grises et sales.

— Je sais qui tu es, me dit-il, quand je me suis présenté.

Il me regardait curieusement. Il serait facile de parler car il m'écouterait.

— Je suis venu, lui dis-je, parce que je voudrais la liberté de mon peuple.

6

Sur les traités, il est inscrit des avanta-
ges, des concessions, des promesses. Et
autre chose aussi.

Réunis en conseil, les Blancs qui vou-
laient neutraliser les forces indigènes du
Canada ont promulgué qu'il serait donné
aux hommes rouges justement assez, et
qu'il leur serait enlevé bien précisément
ce qu'il fallait pour qu'à jamais on puisse
sans inquiétude explorer et exploiter la
colonie.

On délimita des territoires, rarement
les meilleurs, mais que des chefs de nos
tribus acceptèrent comme une largesse
des vainqueurs.

On toléra l'élection de conseils. En
certaines tribus on permit la perpétuation
des lignées maîtresses.

Sur les mappes on inscrivit des régions
de chasse réservée à mes gens. Qu'ils fus-
sent montagnais ou cris, pieds-noirs ou
shoshones, qu'ils habitassent les pays de
conifères ou les plaines, ou les pics escarpés des Rocheuses, ils reçurent tous une
part, il leur fut dévolu un sort.

Mais pour ceux de nous qui eussent
rêvé de sol à soi que l'on foule en gestes
libres, la réalité des traités fut atroce.

C'était de franc et commun socage que
se formuleraient nos vies. Serfs de maîtres nouveaux n'exigeant aucun labeur
mais asservissant tout l'appareil futur de
notre identité raciale.

Puis le temps coula et les gens de sang
dépérirent sur les réserves, car des promesses ne furent pas tenues, des engage-
ments furent oubliés.

Ici et là, par instinct de survie, une
tribu prospéra. (La mienne fut moins

misérable que celle des Oskelanos, moins
miséreuse que celle des Nascapie).

On permettait les chefs élus et ceux-ci
se réunissaient en conseil le plus sérieuse-
ment du monde pour voter des résolutions
qu'à Ottawa les Blancs lointains, igno-
rants de ce qui était bon pour les miens,
refusaient de ratifier.

Je te prends à témoin, vois les écoles
«indiennes». Ce nom est une dérision.
Elles n'ont d'indien que la couleur des
élèves, et leurs origines. De langue
indienne il ne s'en enseigne point en ces
classes. Et de traditions indiennes moins
encore. (N'est-il pas une école près de tes
métropoles, homme blanc de peu de
souci, où il est interdit aux enfants mohicans de converser en leur langue propre?)
Je te dis cela, comme je te dis toute
autre chose, en toute douleur et dépouillé
de ma fierté. Il est ainsi des mots amers à
dire, de durs mots sans joie.
Sans sa langue, dis-moi, que devient
un peuple?

Dépouillé de sa langue, de ses territoires, mon peuple n'inspira aucune pitié. Y eut-il quelque remords chez les conquérants? Il eût pourtant été louable de laisser croître ici un troisième peuple, de race autre, de langue différente, capable d'enrichir le pays de ses traditions, de ses sagesses et de son intelligence.

Pour notre bien, nous disait-on, il fallait nous adapter. La réserve était l'état transitoire. Le procédé consistait à endoctriner insidieusement les petits, à faire d'eux des êtres dotés d'une langue qui leur était étrangère mais qui leur permettait, assurait-on, de s'intégrer aux Canadiens, aux Blancs.

Intégrer, cela veut dire absorber en soi un peuple jusqu'à ce que rien ne subsiste de lui qu'un souvenir et les mensonges odieux des manuels d'histoire.

Les Indiens cruels, les Indiens hypocrites et rusés! Ces êtres qu'on disait immondes d'avoir seulement voulu défendre leur pays contre l'envahissement des Blancs.

Dans les terres faites, les terres des Blancs, il fut érigé des monuments de pierre haute, à l'image des défenseurs du sol canadien: Dollard des Ormeaux, le chevalier de Lévis, Salaberry, Montcalm... (J'ai peu de ferveur pour ces gens et je les nomme sans ordre et sans souci des dates ou des victoires...)

Pourquoi n'a-t-on pas érigé des monuments de même granit et semblablement honorés pour les chefs indiens qui périrent sous les mousquets français?

Étaient-ils de moindre bravoure, de moindre patriotisme? Pourquoi faut-il, pour la couleur de peau, subir deux poids, souffrir deux mesures?

Je me dressais, moi, fou d'orgueil, et je lus dans les yeux de Lévesque, le surintendant de la réserve, de la pitié plutôt que de l'admiration lorsque je lui dis dans ma langue:

— Je suis venu parce que je voudrais la liberté de mon peuple.

Et seulement de la pitié.

J'ai attendu longtemps qu'il me fasse une réponse.

Il tourna en rond devant moi, six pas qu'il fit pour encercler une table basse et qui le ramena là où il était. Cette fois, son visage était grave.

— Il est bien tard, dit-il.

— Il n'est pas trop tard.

— Je prêche la patience, moi, me dit Lévesque.

Je crois que j'ai souri.

— Je suis seul maintenant, ai-je continué.

— Je sais, on me l'a dit.

— Et pour sauver mes gens je puis me perdre moi-même.

Il hocha la tête.

— Tu as droit, dit-il, de penser à ta guise. Mais peut-être ne veulent-ils pas de ta liberté...

Il me toucha au bras. Je ne me suis pas raidi car il n'était pas un Blanc comme les autres. Cela se voyait dans ses gestes et dans le son de sa voix. Il ne m'ordonnait rien, et me traitait en égal. Il eût fallu en notre histoire plus de Blancs de cette sorte et moins des autres tels les rédacteurs de traités.

— Écoute, dit Lévesque, je cherche à vous aider, moi. On vient de me permuter ici. Il m'a fallu un temps pour observer et comprendre ton peuple. Il est différent des peuples cris.

Croyait-il m'apprendre la supériorité de ma race?

— Je me suis mis à la tâche de vous aider. Si tu veux, tu peux travailler avec moi. C'est bien à ta guise.

— Ce n'est pas avec toi que je discuterai, dis-je. Ce que je demande, ni toi ni les autres comme toi ne peuvent me le donner. Et puisque je prends tête des tribus, j'en deviens un chef. Fais dire au Grand Chef Blanc, à Ottawa, qu'il y a ici le chef Ashini qui veut entrer en palabre avec lui.

Puis j'ai ajouté, pour que tout soit clair entre nous:

— Je suis pauvre en moyens, moi. Je n'ai de richesse que la forêt de l'Ungava.

Le Grand Chef Blanc dispose d'avions rapides comme il en passe souvent au-dessus de ma tête quand je suis dans mes territoires. Dis-lui qu'au milieu du prochain mois je l'attendrai au premier grand tournant de la rivière Bersimis en amont de l'embouchure.

Et je suis sorti en me hâtant.

Il ne fallait pas que je reste près de cet homme. Je craignais son respect et j'aurais peut-être failli à ma tâche, accepté qu'il m'injecte quelque patience que je ne voulais avoir.

Toute la race rouge a été matée par la patience. Prenant prétexte de cette vertu des indécis, on a fait osciller à gauche ou à droite tous mes gens. Si bien qu'ils ne savent plus aujourd'hui d'autres recettes que cette patience qui leur fut pourtant fatale.

Je suis rentré en forêt et j'ai attendu, à deux heures de marche du village indien, que des signes me soient donnés.

7

Quelles objurgations furent faites à Tiernish pour qu'il consente à me retrouver en forêt? Lui qui devait préférer la chaleur de la maison à une quête par jour froid, que lui promit-on?

Il était savant des pistes. Il pouvait voyager droit vers une proie. Il mit trois heures à me retrouver. N'avait été son indolence, quel habitant magnifique des forêts eût été cet homme d'apparence balourde et endormie!

— Je te porte un message, me dit-il.

En montagnais écrit, Lévesque avait tracé sur un papier blanc que Tiernish portait sous son blouson:

«Ce que tu demandes est impossible. Viens discuter avec moi.»

Je ne m'attendais pas à plus. Cet homme aurait pu me chasser, ou rire de moi. Il aurait pu m'humilier devant tout le village. Il avait choisi de discuter. C'était une première victoire.

C'était précisément aussi ce que j'avais prévu. Même les mots écrits s'alignaient selon l'ordre que j'avais imaginé.

Sauraient-ils jamais, ces Blancs qui se prennent pour des dieux, qu'en l'âme simple d'un Montagnais comme moi dort plus d'astuce et de ruse qu'ils n'en inventèrent jamais?

Croyait-il que j'espérais réussir par une simple demande faite d'homme à homme?

J'ai traqué et piégé le vison, déjoué le renard, vécu de mes seuls moyens en une forêt habile à protéger sa faune. J'en ai acquis des savoirs que je pouvais mettre aujourd'hui au service de mes résolutions.

Des savoirs qui dépassaient vastement la pensée ordonnée, entraînée d'un Blanc.

Lévesque croyait jouer au stratège, il ne se doutait même pas que j'étais l'inventeur de sa stratégie.

La bonté du cœur ne confère pas l'habileté. Qu'il nous aime, qu'il soit bon pour nous importait peu. Il était un serviteur et j'entendais palabrer avec le maître. Et je savais une chose, entre bien d'autres de bonne utilité. Le Grand Chef Blanc oserait-il, devant son peuple, perdre la face?

Et si obscur que je fusse, si lointain et si infime, je possédais un seul pouvoir, celui justement d'atteindre ce tout-puissant en sa fierté même.

Sans laisser paraître sur mon visage le sourire qui m'illuminait au-dedans et en feignant d'être dupe de Lévesque, je suis retourné le voir.

Cette fois, Lévesque me reçut à son bureau et m'offrit un siège. Il paraissait grave et ses yeux étaient las.

— Je comprends que tu veuilles aider tes gens, me dit-il. On m'a dit que tu étais un homme fier et que tu restais en forêt par choix. On m'a dit aussi que tu es celui des Montagnais qui a le mieux survécu.

J'ai incliné la tête. On m'avait justement décrit.

— Si tu veux aider les tiens, cependant, il faudra que tu sois plus réaliste. Vois-tu, je ne suis pas seul. Je suis maître ici jusqu'à un certain point. En réalité, je suis l'agent qui s'interpose entre vous tous et le département des Affaires indiennes, à Ottawa. Chaque fois que c'est possible, je prends votre parti et il m'est arrivé souvent de faire changer des directives que je croyais nuisibles à mes Indiens.

(Il avait dit «mes Indiens» et la tendresse dans sa voix ne put m'échapper. Je lui sus gré d'avoir au cœur autre chose que du mépris ou de la haine. Je le sentais humble devant moi. Mais qu'est-ce que cela pouvait changer? Il l'avait dit luimême, en ses mots et sans que je le force à se mettre à nu: il n'était pas véritablement le maître. C'était là-bas, à la maison du Grand Chef Blanc, en la ville d'Ottawa, que se décidait le sort de mes gens. Et point ailleurs.)

— Dis au Grand Chef Blanc que je veux palabrer avec lui.

Lévesque haussa les épaules.

— Ashini, on te dit intelligent. Et l'usage que tu fais de ta langue me prouve que tu sais réfléchir et penser. Même ton projet est plein de sens en lui-même. Seulement, tu prends le mauvais moyen. Le Grand Chef Blanc, comme tu dis, est un homme occupé. Il a de grands problèmes, car les Blancs sont plus difficiles à gouverner que les Indiens. Tu dois bien comprendre que jamais il ne viendra jusqu'ici, jusqu'en Ungava, pour discuter avec toi.

Encore une fois, j'aurais pu prévoir les moindres mots de sa réponse. Mais il ne s'en doutait pas.

Il ne me restait qu'à dire l'autre phrase, deuxième de ce discours que j'avais entrepris d'énoncer.

— S'il ne vient pas, le Grand Chef Blanc perdra la face et ne saura jamais se justifier devant son peuple ou devant le mien.

Lévesque me regardait. C'était un homme mince, jeune encore, nerveux, qui scrutait l'âme on eût dit, qui savait lire bien creux au fond des êtres.

Chez les Blancs, c'est une chose rare. Peu d'entre eux savent regarder l'homme en face.

— Tu perds ton temps, dit-il à la fin. Même si je faisais parvenir ton message au Premier Ministre du Canada, personne ne le prendrait au sérieux.

Une deuxième fois je suis sorti et j'ai repris le chemin de la forêt. Mais avant de quitter Lévesque je lui avais répété:

— Si ton grand Chef ne vient pas me rencontrer sur la rive de la Bersimis, à une journée de canot en amont des Betsiamites, à la demie du prochain mois, alors que la lune sera pleine, je ferai ce qui est à faire.

Comme j'avais un mois d'attente, j'ai repris mes portages jusqu'au lac Ouinoka-pau où j'avais des pièges tendus et où je savais retrouver mon pays quotidien.

8

Je me souviens de l'écorce. C'était au temps où les échos ne répondaient qu'en notre langue. Le temps des foulées franches où les hommes réfléchissaient autour du feu.

Le temps où les femmes avaient des gestes lents et quand la courbe de leurs bras s'accordait à la courbe des grands saules penchés.

Il n'y avait point d'odeur de diesel dans les sentes.

Et le seul bruit du ciel était le grondement lourd du tonnerre à l'horizon, aux soirs chauds d'été.

Alors l'écorce était parmi nous comme le sang était aux veines et la peau de daim sur nos épaules.

Il n'était que de soulever autant d'écorce qu'il le fallait au tronc du bouleau.

Et nous allions alors sur les eaux douces dans nos canots membrés de bois cuit et recouverts d'écorce lisse.

Et nous mangions alors dans les cassots de bouleau que les femmes pendaient aux fourches du soir, au ras du bleu de la flamme.

Et nous cousions et nous courions, nous grimpions et nous buvions grâce à l'écorce.

Est-il tant de Montagnais aujourd'hui qui se souviennent du temps de l'écorce? Ce temps des fumées résineuses qui se glissaient à la surface du lac et venaient nous accueillir au retour de la chasse?

(Là-bas, sur la pointe sèche d'une pinède s'avançant dans le lac, les ouigouames étaient des taches claires dans le soir neuf.)

Te souviens-tu, mon père, que je portais le seau d'écorce du ruisseau transparent jusqu'au bac de la case-à-eau? Que j'étais petit alors mais que je croyais en toi? Te souviendras-tu, ô mon père, en ton Pays des Bonnes Chasses où rien de tout cela n'importe plus, du temps de l'écorce qui était le temps de la félicité?

Le temps du cuir tanné avec la même écorce et son aubel tendre?

Le temps de l'arc et de la flèche, et de la lance faite du bois durci au feu, et armées de leur pierre acérée?

Le temps de la chasse rusée où les armes des bêtes et les nôtres étaient égales?

Te souviens-tu, mon père, et vous tous qui n'êtes plus, du temps béni de l'écorce?

En mémoire de toutes les coulées de sang vif, initiatrices de nos générations d'une ère à l'autre, j'ai fait un pacte dans l'espoir de toutes choses bonnes, que reviendrait pour chacun de nous le temps de l'écorce. Non en sa réalité d'autrefois, mais dans l'esprit et pour rythmer nos gestes du jour.

Il faut que les filles montagnaises sachent chanter du haut des sommets et que leurs voix coulent au long de notre peau comme des caresses fraîches.

Il faut que les filles montagnaises prennent à deux mains le nouveau-né et l'offrent aux taillis généreux, aux eaux poissonneuses et au ciel de soleil, que l'on sache en tous lieux des Manitout leur gratitude d'être les continuatrices.

Il faut que les hommes de mon sang sachent poser sur la pelleterie luisante une main de respect et d'honneur, qu'en tous bosquets survivent justement les issues nouvelles et que demain et dans tous les ans futurs soit riche la forêt nourricière.

Il faut que le temps de l'écorce revenu soit pour nous le retour à la vie quiète. Qu'il n'y ait plus la désespérance, qu'il n'y ait plus l'angoisse, que l'on ne craigne aucun bruit d'homme en nos parages. Que ce temps soit de nouveau le temps de l'amour, car il n'est pour l'homme que celui-là, qui a été fait pour lui et qui est don sur terre.

Que les hommes sachent donc aimer et les femmes davantage. Qu'en se remémorant le temps de l'écorce l'on enseigne aux filles qu'il n'est de son plus grandiose que le son d'amour, de voix plus pénétrante et belle que la voix d'amour.

Et à nos hommes la douceur de la perpétuation sereinement accomplie dans le pays d'éternité.

* * *

J'ai retrouvé ma contrée autour du lac Ouinokapau. Ma vie a recommencé.

Je ne la dirai pas en son quotidien. C'était ma vie comme toujours elle avait été. Ni ma solitude, ni mon projet, ni l'acte à compléter le temps venu, ne pouvaient influer sur ce rythme.

Je reprenais tout uniment mes accoutumances en cette forêt d'Ungava, en ce canton précis qui m'était devenu en quelque sorte un lieu d'habitation et un royaume.

C'était une forêt composée de grands pins noirs, de sapins plus trapus, mais sains aussi, d'épinettes et de bois francs épars parmi les conifères. Un bois d'hiver où chasser à l'aise et un bois d'été d'une merveilleuse richesse. Le chèvrefeuille, l'aubépine, les framboisiers et les mûriers sauvages abondaient dans les sous-bois; partout aussi le cèdre rampant formait d'excellentes cachettes pour les lièvres. Le renard, de même le vison, le pécan et la loutre couraient ces taillis. Dans une baie peu profonde mais large et longue, de l'autre côté du lac, une colonie de rats musqués vivait qui comptait au moins deux cents bêtes. Il y avait des excréments de loup dans les trails d'ours, des pistes d'orignal partout sur le sable, et des ravages de chevreuil aux orées de quatre clairières en pourtour du lac.

Les nids d'oiseaux chanteurs n'étaient pas rares et cela attirait les martres dont la fourrure est précieuse. Partout, sur les échappées de sol humide, des traces de perdrix et de poules d'eau.

Était-il ainsi le monde premier que Tshe donna à l'homme? Avais-je repéré le canton parfait où mener ma tribu? Ce m'était un sol généreux; est-il étonnant que je le voulusse partager?

Je n'ai pas cherché toutefois à réfléchir trop profondément à mon pays. Il était essentiel que je reste attaché à chaque geste de chaque jour, que je n'espère plus rien de cette contrée, que je ne rêve à aucune des joies qu'elle m'accordait.

J'avais choisi un destin. Rien ne devait me porter à d'inutiles regrets.

Au mois de mai revenu, je n'entendrais peut-être pas exploser la glace des lacs cédant sous le poids du jour. J'en aurais peut-être fini du temps des hommes, et les longs pèlerinages vers les terres stériles des Montagnais transfuges ne seraient plus mon souci.

Mais contre toute prévision logique, ne devais-je pas opposer plus de fatalisme?

J'ai placé mes pièges là où ils enferreraient le gibier à fourrure.

Je l'ai fait simplement, d'instinct, en agissant comme toujours j'avais agi, au nom de la vie qui se continuait.

Je crois que ma seule concession à la nouvelle ordonnance de mon destin fut d'accomplir, après mon retour et avec quelque cérémonie, le premier écorchage.

Il est des rites à observer à chaque étape de vie. Quand l'enfant naît, sa mère fuit en secret, la première nuit qui a suivi la venue au monde. Et elle porte l'enfant neuf vers un sommet. Là, elle le suspend à un arbre et toute la nuit elle danse lentement autour de cet arbre. D'une main elle arrache de l'*entshishkailnuit* — le nouveau-né — à gestes lents et doux, tout le mal, toutes les mauvaises choses, tous les destins cruels. Puis du même geste elle lance ces dangers bien loin, au bas de la montagne, pour que les esprits de la nuit s'en emparent et les maîtrisent.

Et elle fait en même temps un chant, un récit rythmé qu'elle gardera secret pour être enseigné à son fils à l'âge d'homme, quand il aura ramené au ouigouame sa première proie de viande fraîche.

Quand se fut pris le premier vison noir en mes pièges et le premier de tous les visons cette année-là, j'ai cru louable d'accomplir un rite honorant ce qui bouge et domine invisiblement au-delà de mes cieux, par-delà mon monde à moi que je touche et que je vois.

Ainsi l'hommage était rendu, le geste propitiatoire accompli.

Rangé à la chaleur du feu, le vison que j'avais apporté raidi par le froid était redevenu souple.

Sa pelleterie sombre luisait en teintes bleuâtres à la lueur des flammes. C'était, je crois, la prise la plus belle qu'il m'ait été donné de capturer en bien des années.

Un symbole, peut-être, la marque du temps nouveau? Le sceau de promesse?

J'ai piqué la lame acérée de mon couteau à la gorge du vison et j'ai lentement tranché le cuir, de la gueule jusqu'à la queue.

C'était l'étape première du dépeçage. Je n'entrepris point la deuxième tout de suite. Plutôt, j'ai pris sur mes mains étendues cette bête morte pour moi et je l'ai élevée au-dessus de ce qui m'entourait, l'abri de branchages, le feu ardent, les bosquets de cèdre rampant. J'ai tendu en offertoire la dépouille au plus grand de mes dieux, le Tshe Manitout, puis aux autres, ceux des forêts et des buissons, ceux qui règlent le cours des eaux et ceux qui acheminent les nuages au ciel. Je n'ai oublié aucune des puissances, même celles, obscures et nécessaires, qui gouvernent ces insectes utiles, les mangeurs de carcasses, les fossoyeurs qui tiennent propres les sous-bois et ne tolèrent point que la mort des bêtes souille les parages.

Divinités de la vie, (le Tshe Manitout qui insuffle l'animation à l'homme dès sa conception), divinités de survie, divinités d'ordonnance et de bon maintien de la nature, divinités humbles aussi, l'hagiographie de ma religion à moi, qui a longtemps gardé bien haut l'honneur de la race rouge.

Tenant sur mes mains le vison mort, j'ai cerné le feu d'une danse apprise en mon enfance, j'ai inventé une musique et sur cette musique j'ai prononcé les mots d'imploration.

Car c'est ainsi que se doivent honorer mes dieux, du fond de l'âme et en sachant inventer ses prières à soi.

Quand j'ai jugé l'hommage pleinement rendu et que j'ai senti en moi se manifester le plaisir des dieux, c'était le temps de la deuxième étape.

J'ai soulevé soigneusement la peau du vison, à légers coups sûrs séparant le cuir de la couche graisseuse. Il me fallut long-temps pour parfaire l'ouvrage car il importait que cette peau entre toutes soit de haute classe et ne montre le moindre faux coup, la moindre écorchure.

J'ai dénudé la tête aussi, et la queue. Étalée sur un séchoir, on pouvait deviner la forme entière de la bête et, sur la car-casse rejetée, pas un poil ne subsisterait.

C'était ainsi la belle tâche bien accom-plie de celui qui a le respect de son métier.

La peau de vison noir était parfaite. Par sa couleur, par l'âge de la bête, par la finesse du duvet profond et la santé du long poil, c'était, j'en pouvais jurer, une pelleterie comme il en vient rarement aux comptoirs des facteurs.

Toute cette soirée-là, j'ai nourri mon feu, que règnent la chaleur et la lumière. Avec une pierre d'usage gardée à fond de sac, correctement oblique et raclante, j'ai gratté toute graisse et toute chair du cuir intérieur. Puis j'ai lavé l'envers de la peau et lavé le fond du poil.

J'ai ensuite enroulé la pelleterie et quand je me suis endormi, j'avais sous la tête cette fourrure dont je savais qu'elle était plus qu'un symbole, le signal même des dieux accordés à mon projet.

Est-il donc, dans les au-delà de toutes les races, des dieux qui peuvent survivre lorsque leur peuple se meurt? Il n'est de paradis que pour les élus. Or, si les Indiens paient tribut à d'autres dieux et s'il ne reste pour mes Manitout aucun homme rouge pour les invoquer en leur langue, que deviendront-ils?

Devront-ils, pour continuer l'œuvre, comme aux siècles antiques, n'être que les dieux des pins et des bouleaux, des bêtes et des cent mille lacs?

J'étais sûr maintenant d'être non seulement leur agent libre soucieux de recommencements, mais presque leur messie à l'échelle de mon petit peuple.

Je n'en demandais pas plus.

9

Bien des centaines et des milliers d'années auparavant, ma forêt n'était habitée que par les bêtes. L'homme n'y était pas encore venu. Les frondaisons ne se renvoyaient pas les échos des sons d'homme et si les bêtes avaient des enne-mis aucun n'était ce bipède imprévisible, hypocrite et inventif qui vint par la suite.

Cette absence de l'homme ne rendait pas la forêt plus sûre pour les espèces ani-males y cheminant. Chacune avait quand même son destin ordonné.

Ce fut ainsi que les loups s'unirent en meutes, une année de disette où les proies faciles avaient été décimées trop rapide-ment.

Le premier *pack*, affirment nos chants, fut organisé aux abords du lac Kakush, le lac des Porcs-Épics. Huala, un jeune loup très habile et très intelligent, vit un jour un orignal de grande taille qui buvait le long de la grève. Huala avait faim. Et il savait que d'autres loups dans les parages avaient faim aussi. Tapi dans un fourré, il huma longtemps l'odeur, observa la bête, supputa ses chances.

Mais Huala était intelligent et à sa bravoure il joignait la sagesse. Voyant que l'orignal allait repartir et se perdre dans les grands taillis, il eut soudain l'idée d'appeler d'autres loups à sa rescousse. Mais comment faire? Huala ne connaissait qu'un appel portant assez loin, c'était celui du mâle appelant la femelle. Appel de printemps, qui étonnerait sûrement toutes les louves dans les parages et qui intriguerait les mâles.

L'orignal s'ébrouait. Dans quelques instants il repartirait. Huala se sentait impuissant à attaquer cette bête énorme qui pouvait le broyer à coups de sabots. Et si le loup s'élançait vers la carotide de la bête, s'y agrippait et tenait bon, l'animal saignant à mort et secouant son grand cou puissant pouvait assommer Huala contre les pierres ou contre les troncs d'arbres.

Non, il fallait de l'aide, il fallait que tous les loups viennent. Désespérement, Huala se mit à hurler. L'orignal bondit aussitôt vers la forêt, mais Huala, hurlant toujours, partit à sa poursuite.

Il n'y eut d'abord dans la forêt, aux hurlements du loup, qu'un silence étonné. Toutes les bêtes s'étaient tues, écoutant cet appel que personne n'aurait cru entendre un jour d'octobre.

Puis, très loin, une femelle dialogua. Huala reconnut la voix d'une toute jeune louve, une voix un peu timide qui interrogeait plus qu'elle ne répondait.

Mais ce premier répons au rite qui devait maintenant devenir traditionnel provoqua chez d'autres louves des alentours la même curiosité. Bientôt, la voix des mâles interrogea aussi. Et soudain ce fut un concert. Sur toutes les crêtes, au fond de tous les vallons, une trentaine de loups entreprirent une palabre avec Huala. Cependant que le jeune loup poursuivait toujours l'orignal.

L'une des bêtes comprit-elle ce que voulait Huala? Un instinct anima-t-il les loups? La légende ne le dit point. Il est une seule chose dont nous sommes sûrs: les loups et les louves vinrent à l'appel d'Huala. Bientôt, ils couraient tous à ses côtés et ce n'était pas un loup seulement qui harcelait le grand orignal, mais une meute entière, affamée, féroce qui se hâtait désormais en silence.

Dans toute la forêt, il n'y avait plus que le souffle haletant de la bête haute s'épuisant rapidement. Et derrière elle, la course feutrée des loups, une masse agile, compacte, implacable d'où montait parfois un grognement, ou un jappement bref, les ordres de route jetés par Huala qui avait pris la tête du *pack*.

L'orignal fut atteint au bord d'un autre lac. La meute entière se rua à la curée.

Une dégustation vorace dont il ne resta, la faim assouvie, que quelques ossements épars sur la grève.

Quand le *pack* eut dormi Huala lui tint à peu près ce langage:

— Vous aviez faim, je vous ai appelés et vous avez mangé. Si vous voulez, ce sera ainsi chaque nuit.

Les louves, admiratrices, fixaient leurs grands yeux sur ce jeune mâle à la belle assurance. Les loups plus vieux que Huala, ou moins audacieux, tinrent conseil. Il y eut des dissidences. Un vieux loup se sépara de la nouvelle meute et s'en fut, solitaire et hargneux.

— Je serai votre chef, dit Huala, jusqu'au jour où je ne pourrai plus découvrir de gibier pour vous.

Ainsi naissait la première meute.

Huala passa cette première journée à dépister de bonnes proies, à observer leurs allées et venues. Dès le soir tombé, il courait vers l'un des sommets et lançait son premier cri de ralliement. Alors, de tous les fourrés du pays, de tous les terriers jaillissaient les réponses. Une demi-heure plus tard le *pack* était formé, Huala l'avait instruit des bêtes qu'ils allaient traquer et la chasse silencieuse commençait.

Huala, selon la légende, fut le premier loup-chef de la première meute, dont les exploits sont chantés dans les langues indiennes et qui a inspiré tant de jeunes braves de la race rouge.

Plus tard, quand les premiers hommes à la peau cuivrée sont apparus en forêt, d'autres meutes de loups se formèrent. Il y eut des centaines de *packs* qui chassèrent dans toute la forêt du nord. Mais il y eut aussi les *packs* d'hommes, un jeune chef à leur tête, tout comme les loups. Et les bêtes tapies, blotties pour ne pas être tuées, se demandèrent souvent lequel des deux *packs* était le plus cruel, celui des loups ou celui des hommes.

Ainsi fut-il, à cause des loups et à cause des hommes, que les animaux de la

forêt durent apprendre de nouvelles ruses.
Jusque-là, ils n'avaient eu d'adversaires
que ceux promulgués par les dieux syl-
vains. Maintenant, des ennemis autres
que les loups apparaissaient, les hommes
habiles, rusés, inventifs, redoutables.

Ennemi de tout animal, l'homme se
nourrissait de bêtes hautes, de lièvres
aussi et de porcs-épics. Il tuait les visons,
les rats musqués, les loutres, les martres,
les pécans, les castors, les chats sauvages,
les belettes, les loups-cerviers et les
renards pour leur fourrure. Il tuait les
loups en prétendant se protéger contre
leurs attaques. Il abattait les oiseaux, mas-
sacrait les écureuils, s'emparait des pois-
sons dans les lacs et les rivières, volait
aux abeilles leur miel et leur cire, arra-
chait aux ourses leurs oursons, et démo-
lissait le barrage des castors.

L'homme était plein de traîtrises. Il
tuait un orignal, le dépeçait en cent lam-
beaux de chair qu'il semait un peu partout
au bord d'un lac. Et quand venaient se
régaler les renards et les martres, les

visons et les pécans, les pauvres bêtes étaient transpercées de flèches, ou bien elles s'étranglaient dans les collets de souple babiche insidieusement tendus sur leur passage.

Des centaines d'années plus tard — voire des milliers — d'autres hommes vinrent encore, blancs de peau, qui portaient le tonnerre entre leurs mains, et qui tendirent non plus des collets souples mais d'affreux pièges de métal qui déchiraient les chairs.

C'est pourtant de cette petite guerre que naquirent les grandes ruses des bêtes de la forêt. C'est ainsi que d'une génération à l'autre se fit une nouvelle transmission d'instincts. Les animaux parvinrent à déjouer les hommes plus souvent que ceux-ci ne parvinrent à les traquer.

Les bêtes apprirent la nécessité du silence. Elles apprirent à se terrer des heures durant. Faisant tout à coup face à trop d'ennemis à la fois, elles ne furent pas toujours décimées, mais parfois émigrèrent vers des pays plus paisibles, vidèrent de grandes régions à la fois.

Vint un jour où la bête traita d'égale à égal avec l'homme. Ce ne fut plus complètement la loi du plus fort, mais la loi du plus rusé, un jeu d'adresse entre l'une et l'autre.

Il fallut mille ans peut-être, mais alors qu'autrefois le renard marchait queue droite pointant vers le ciel et rôdait librement dans le bois, il en vint peu à peu à se glisser silencieusement, queue entre les jambes, à bondir sur ses proies et à fuir aussitôt. Y avait-il sur la brise la moindre odeur d'homme que le renard détalait. Il n'avait jamais appris à fuir auparavant, et maintenant qui pourrait le rattraper lorsqu'il détale?

Ainsi pour chaque bête.

Des mœurs nouvelles changèrent la démarche, l'habitat, le temps de la chasse et même la nature des proies.

Mais surtout, l'apprentissage de la ruse, l'usage d'astuces toujours renouvelées.

Et donc, à cause des loups d'abord et des hommes ensuite (et en dangers conjugués pour toute bête, les loups ou les hommes chassant en *pack*), l'entier de la faune sylvaine avait dû adopter de nouvelles vies.

Ne pouvais-je, moi, m'inspirer du loup de légende, de Huala l'inventeur des meutes, m'inspirer aussi des expéditions anciennes où l'homme-chef menait sa propre meute à la curée?

Regrouper les Montagnais. Homme-loup, homme-chef, si temporairement que cela soit, rassemblant les miens, prenant leur tête, les menant, libres enfin, vers ce pays que j'allais leur garantir?

J'ai vécu un mois, chassé un mois durant, trappé et réfléchi. Toute chose un entier aux éléments inséparables, tel qu'il se doit chez tout homme qui habite la forêt, en vit, et veut en tirer le bien suprême.

J'ai réfléchi, parce que cela était nécessaire. J'ai ordonné l'avenir, je l'ai déterminé.

Plus encore, j'ai espéré.

Et quand je me suis rendu au rendez-vous sur la Bersimis, où je savais bien que le Grand Chef Blanc ne serait pas, j'ai pleuré cette fois, j'ai pleuré quand même, car ma lassitude était grande et mon âge pesait lourd, et j'aurais tant voulu me tromper et recevoir de bonne grâce ce que je savais maintenant devoir arracher aux Blancs.

10

Au tournant de la rivière, là où la surface gelée est longue et large, lisse aussi pour que s'y pose un avion, il n'y avait rien quand je suis venu.

J'attendis quatre jours et nul avion portant le Grand Chef n'apparut dans le ciel.

Il n'y eut nême pas un coureur me portant des excuses.

J'avais invité un chef à me rencontrer et il n'avait pas eu la courtoisie des chefs.

C'est ainsi que la guerre ne périra jamais sur la terre, tant que les hommes-élus n'apprendront pas toutes les étiquettes et ne respecteront pas les coutumes de leurs frères à peau différente.

Je n'ai rien vu d'écrit dans le ciel qui me fasse, moi le Peau-Rouge, inférieur au premier ministre blanc qui règne à Ottawa.

Il a froid quand j'ai froid, cet homme, faim quand j'ai faim. Il est tiraillé par les mêmes douleurs, et toute balle m'entrant dans la peau crèverait sa peau autant que la mienne.

Le vent soufflera sur moi comme sur lui et l'eau le noiera comme elle noie les Montagnais. Les mêmes moustiques nous harcèlent et nos femmes sont abordées semblablement.

Sa maison est plus chaude que la mienne peut-être et sa fortune est grande, mais ma richesse est mon pays et mon pays est immense. Cet homme peut, s'il le veut, noliser de grands navires et voyager de par le monde. Peut-il, à sa guise, et comme je le fais, sauter des rapides en un canot d'écorce de bouleau?

Pèse-nous sur une honnête balance, pèse-nous avec justice. De peau, de sang, de ce qui est bon ou de ce qui est mauvais en lui, organe pour organe et muscle pour muscle, est-il différent de moi?

Nourri plus finement, il sera peut-être dévoré avec plus de plaisance par un loup qui serait un gourmet chez les siens! Mais je ne crois pas qu'il s'agisse là d'une enviable supériorité.

Au bout de quatre jours, je suis venu plus près de la réserve. Désormais, je ne remonterais en ma contrée que la tâche accomplie et jusqu'à son issue, quelle qu'elle soit.

Entre la Bersimis et la Manicouagan, il y a un torrent qui traverse le plateau derrière le chemin. Ce torrent oblique ensuite, fait mine de vouloir atteindre la Bersimis, puis il vire de nouveau, cette fois vers la mer. Dans cet angle droit se trouve un bosquet éclairci de hauts pins et de saules larges. Et près du torrent, à charge de traverser un taillis serré pour y accéder, une sorte de clairière grande comme trois tipis, toute de sable, rarement couverte de neige en hiver.

On y a l'illusion de l'automne avant les premières bordées. Et en cet état, c'est une sorte de retraite cachée et accueillante.

C'est là que je me suis construit un abri. J'étais sûr que personne ne m'y viendrait trouver. Si je brouillais mes pistes de sortie et d'entrée, les Montagnais de la réserve ne sauraient me traquer.

Tiernish en avait peut-être l'habileté, mais j'étais sûr qu'il n'accepterait pas une deuxième fois de se déranger.

Pikal? Les autres? Qui saurait? Chez combien d'entre eux subsistait la science de la forêt, cette condition essentielle de survie?

J'étais donc en lieu sûr dans ma clairière étroite. J'y pourrais effectuer les étapes de mon projet.

Maintenant pouvait être amorcée la phase dernière, celle de l'issue, l'engagement irrémédiable.

(Comment en étais-je venu là? Bien sûr, j'ai parfois ressenti une hésitation, ou de la crainte. Parfois même une sorte de panique. J'ai de l'homme blanc la même angoisse. Qu'elle soit chez moi mieux dissimulée ou parfois différemment reçue ne la neutralise point. Homme parmi les hommes, et cela peut être la plus terrible des condamnations. Si j'avais été un être inférieur, paria logé au sous-niveau de la race humaine, je n'aurais pas plus ressenti de fierté que d'angoisse, pas plus de panique que de révolte.)

Je me souviens qu'à trente ans, après un portage incroyable, après des escalades qui n'en finissaient plus, je me suis trouvé à ras de sommet du mont Taureau. Nous étions trois de l'expédition. Un cousin, un autre Montagnais sans lien et moi.

Nous avons habité deux jours durant ce flanc escarpé, une sorte de tableau de granit en haut duquel se trouvait une étroite saillie où nous faisions notre feu, où nous dormions.

Si je te le raconte, c'est que j'eus, ce soir-là près de la réserve et alors que j'allais conquérir le monde, l'image nette en mon souvenir d'une seule pierre que mon pied fit rouler trente ans auparavant, au flanc de ce mont escarpé.

Une seule, un matin, ricocha contre une arête, délogea deux autres pierres qui continuèrent à choir avec la première. Il y en eut ensuite dix, puis vingt et le nombre fut si grand que je ne les comptais plus.

Et l'avalanche grossit, devint un fléau qui laboura tout le flanc du mont, déracinant les arbres, rasant les monticules, creusant des gorges.

Quand le tonnerre se fut éteint et que ne resta dans l'air bleu qu'un peu de poussière chassée par le vent, le pays au bas de la montagne n'avait plus le même aspect.

Une pierre, grosse comme le poing, délogée par mon pied maladroit.

Si peu.

Tshe Manitout, étais-je marqué de deux destins semblables à trente ans de distance?

Mais je n'étais plus maladroit, crois-le. Je me souvenais de la pierre et si je délogeais gros comme mon poing de puissance pour que naisse une avalanche au pays des Blancs, c'était réfléchi et calculé.

Malgré ma panique.

Malgré l'angoisse.

En dépit de toute poussée de fausse sagesse en moi, sorte d'instinct de survie, qui m'avertissait des dangers à courir.

Qui, mieux que moi, pouvait connaître les dangers, qui en avait escompté les effets?

Dans sa ville lointaine et à cause de moi, le Grand Chef Blanc perdrait la face.

Je n'avais d'autre propos. J'axais tout geste, toute résolution, toute étape nouvelle sur ce fait absolu. Il perdrait la face.

Et moi, je pourrais mourir.

S'il le fallait, je consentais bien à disparaître pour que renaisse mon peuple.

S'il le fallait.

Étendu sous mon abri, deux jours durant je me suis recueilli. Je couvrais mon feu pour qu'il ne soit que braise et que s'en échappe le moins de fumée possible.

Personne ne me savait ici, il ne convenait pas qu'on l'apprît trop tôt.

Moi-même, est-ce que vraiment je me savais en un endroit précis du sol? Il me semblait que j'habitais le temps et que j'avais les astres pour repères, plutôt que l'ondulation des montagnes, le chemin des rivières, l'échancrure des lacs.

Mon pays, pour le dire, appartenait soudain plus au rêve qu'à la géographie. Ce que je faisais touchait à la grandeur, je n'en pouvais plus douter.

Une suite de gestes simples mais définitifs. Et à la fin, la conclusion inéluctable.

C'était vraiment le temps de l'homme, alors qu'il domine la nature.

Grand Chef Blanc, t'es-tu douté un seul instant de la puissance à laquelle tu t'es mesuré?

Car celui des grandes Cités se croit savant, mais quelle est sa connaissance comparée à la mienne?

Je mettrais peu de jours à savoir comment vivre en les régions asservies. Tout y a été conçu pour que l'homme n'ait rien à connaître, rien à fuir, rien à imaginer. On a tout mis à sa portée et le plus borné des êtres ne saurait s'égarer en ces endroits.

Tandis qu'ici, dans ma forêt, homme Blanc, imagines-tu ce que je dois savoir?

Tout ce que de par mon métier je dois retenir et craindre, utiliser et prévoir?

Je dois graver en ma mémoire les trous, les creux, les émergences et les élévations. La moindre fondrière, le ravin, le vallonnement, les pentes, la courbe des montagnes, tout cela doit m'être familier.

Ainsi puis-je me diriger dans le bois. Ainsi puis-je reconnaître l'habitat des animaux, le canton de bon piégeage, l'endroit d'un bivouac sûr, la présence des criques ou des torrents, des ruisseaux et des rivières. Par la couleur autant que par la forme aussi, tel vert plus pâle m'indique les trembles et les bouleaux, bois succulents où les hautes bêtes aiment installer leurs ravages. Les endroits cahoteux sont le site de cavernes et de grottes où se terrent les ours et les loups. Les plateaux moussus où croissent les conifères, pays des lièvres et des écureuils. Les régions de terre meuble et profonde, couverte d'herbes hautes et de buissons doux, bon endroit pour les cailles, les perdrix, les poules sauvages, les faisans et, parmi les bêtes, les porcs-épics. Les croissances d'arbres durs, de ce que l'on nomme le bois mêlé, avec ses ruisseaux, sa terre humide ici, sèche et jaune ailleurs, ses diverses essences, ses buissons, ses cèdres rampants, ses aubépines, ses églantines, les buissons à baies aussi, airelles, framboises sauvages, sont un bon pays d'ours, de visons, de loutres, de pécans et de petites martres.

Tout cela, dès l'enfance, je me devais de le savoir. Cela qui était la forêt estivale, mais qui était aussi la forêt d'hiver, dont la disposition et l'abondance de la neige étaient régies justement par la disposition première des diverses essences d'arbres. Et donc, non seulement connaître de la forêt ce qui croît et vit, mais aussi ce qui gît sur le sol: la neige n'en étant pas la moindre masse.

Ce qui me guide, c'est avant tout la couleur de la neige. Pour le profane, toute neige est semblable ou il la croit telle. Peu de novices en forêt verraient les nuances.

En plein hiver, la neige est dure, blanche, si blanche qu'au moindre soleil elle peut me rendre aveugle tant elle éblouit. Quand vient mars et que les chutes de neige neuve se font plus rares, le tapis blanc se durcit davantage, forme une dernière croûte épaisse, solide. La neige alors montre ici et là des chutes d'aiguilles et de poussière d'écorce provenant des branches que le vent agite et frotte ensemble. Les animaux y laissent des traces d'excréments, l'urine des ours ou des chevreuils jaunit le blanc à bien des endroits.

Mais quand vient la fin d'avril, le début de mai, là où c'est la grande forêt du Nord, si loin que l'hiver persiste plus longtemps, alors la chaleur du sud monte par la terre, et par le fond de la terre. Et la neige prend ici et là une sorte de teinte qui n'est ni blanche ni grise. On la dirait un peu délavée. Parfois même, on devine derrière le blanc une sorte de noir-gris, très sombre, qui apparaît par transparence. Et c'est là que se cachent les traîtrises.

De poser le pied sur cette neige signifie s'y enfoncer jusqu'au fond, un fond liquide, enserrant, possédant presque la propriété des sables mouvants.

Et s'il y avait, dis-moi, sous cette neige, au lieu du sol uni, quelque ravin, quelque crevasse?

Pris de panique, celui qui choit dans un tel piège n'en pourra pas sortir. Seul dans la forêt, ses appels ne seront pas entendus: retenu par la masse spongieuse, mouvante, croulante, il mourra là comme une bête.

Voilà donc un peu des connaissances que j'ai dû acquérir, homme blanc, tout au long de ma vie, tout au long de mon expérience.

Et dis-moi s'il est, dans ta vie à toi, la vie dans tes villes et dans tes contrées de terres faites, de chemins tracés, de signaux et de repères, un besoin de sciences égales aux miennes?

Pourquoi me dire inférieur à toi qui périrais au bout de trois jours en mes forêts?

Les atomes que tu fracasses, l'énergie incroyable que tu maîtrises, tes lois, Intrus! ta civilisation, montre-moi leur aloi. Compare tes valeurs et les miennes.

Tu parles de puissance? Un seul éclair s'abattant sur un grand pin n'est-il pas plus puissant que la plus puissante de tes mécaniques?

La force d'un ouragan dévastant vingt cantons ne se compare-t-elle pas à tes grandes bombes meurtrières?

Et dis-moi si ta science a créé un seul pin noir, une seule fleur, la couleur des couchants et l'arôme gras des midis de mai...

11

Le cinquième jour de ma présence à l'orée du village, j'ai percé une veine de mon bras et j'ai tracé de mon sang sur une écorce de bouleau le premier de mes messages:

«Le Grand Chef Blanc n'est pas venu. Je l'attendrai de nouveau au même endroit dans six jours. S'il ne vient pas, il perdra la face.»

J'ai attendu que vienne la nuit puis je me suis glissé vers la maison du Blanc, dans la réserve.

Moi, Ashini de la forêt du nord, je n'avais pas à craindre les Montagnais des

Betsiamites. Ils dormaient tous et les fléaux seraient venus qu'ils n'en auraient point perçu l'approche.

Nulle maison n'avait ses yeux ouverts. Le village était une masse silencieuse et amorphe que je ne reconnaissais plus.

Pourtant, la mer battait contre la grève. Elle était vivante, se rappelait à moi. Pourquoi dormaient-ils tous?

L'ouïe d'un Montagnais est de grande finesse, son odorat sait reconnaître les venues, les gestes, les raisons à de grandes distances.

L'œil du Montagnais ne se ferme qu'à demi, lorsqu'il vit selon les lois de sa race.

Et pourtant, j'allais en ce village comme va le bélier dans son troupeau. À quelle fin ce paternalisme des Blancs qui plonge des gens de la grande nature en des sommeils si lourds qu'on les pourrait égorger sans crainte?

J'aurais pu entrer dans chacune des maisons des Betsiamites, aller et venir à mon gré, tuer ou voler. Ce sont de dures vérités que celles-là, qui fouettent au cœur toutes les résolutions.

Refaire, rebâtir, remodeler, reconstituer! Partir du rien qui était leur sort présent, extirper d'eux les atavismes, les leur rendre centuplés, grandis, incarnés en eux...

Le village des Betsiamites est construit loin de la route pavée. Une rue où vient se joindre une autre rue, puis une fourche qui s'évase, l'église, la maison des Pères, l'école, les bâtisses propres des Blancs de l'Administration et au bout de tout cela et devant: la mer.

(Tu sais, je te parle peu de la mer parce qu'elle n'est pas notre plaisir et notre utilité. Nous n'avons jamais su construire des barques, pêcher au large comme le font les Blancs. Certains d'entre nous ont chassé à la carabine le loup-marin sur les banquises. C'était pour aider les Blancs, les servir, peiner et gagner des sous.

Il n'est pas de beaux mots en ma langue pour décrire la mer ou pour la chanter.

J'ai souvent songé que se trouvait là une immensité qui nous eût été bonne et cependant nous l'avons fuie.

Certes, nos tribus ont souvent habité les rives. C'était surtout aux embouchures des rivières, à cause du saumon qui venait y frayer. C'était aussi parce qu'il y a des fruitages près de la mer, et du sol libre qui attirait ceux d'entre nous las de l'encombrement des forêts.

Mais nous n'avons pas couru sur la mer comme courent les Blancs. Peut-être bien parce qu'elle ne nous offre aucun repère et que nous avons besoin de scruter ce qui se découpe sur nos horizons pour nous sentir en confiance.

Que ferais-je, moi, dans le brouillard sur la mer?

Ou par ces jours bas et gris, quand tout horizon s'estompe, comment me retrouver? La crête d'une vague n'est pas un sommet rocailleux et je ne saurais plus retracer mes chemins.

La mer, qui eût pu être amie, est restée une sorte de sourde ennemie...)

D'un point de guet, j'ai observé la vie de la réserve toute cette journée-là.

Je crois que le Blanc était préoccupé, car je le vis aller frapper à plusieurs portes. Celle, en tout cas, de Pikal.

Cherchait-il des appuis?

Ou une image de moi qui lui donnât des armes pour me vaincre? Il aimait les Indiens. Mais lesquels? Les Indiens dociles ou les Indiens rebelles?

Se ferait-il au contraire mon allié en participant à mon projet?

Sur les fils noirs sortant de la réserve et courant entre les poteaux jusqu'aux terres civilisées, que se disait-il ce matin-là? Quelles secrètes harangues ce mystérieux tam-tam portait-il au loin?

J'ai la science du sol et point d'autre. Je ne pouvais savoir quelles discussions s'établissaient entre les Blancs lointains et celui-là, tout proche, qui s'agitait tellement à cette heure.

Je vis aussi que les prêtres de la religion blanche s'affairaient à leur tour. L'un
d'eux conféra longtemps avec Tiernish
devant l'enclos des pow-wow, derrière
l'église. Mais Tiernish faisait constam-
ment non de la tête et je fus un peu rassuré.

Il était le seul qui sût encore humer
une piste à ras de terre. De me repérer
n'eût été qu'un jeu... S'il était question de
me traquer, quel destin voulut qu'il refu-
sât?

L'autoneige du transport postal vint
sur la route, passa à ma portée puis obli-
qua sur le chemin de la réserve. Placerait-
on mon message dans un sac à destination
d'Ottawa? Serait-il remis là-bas au Grand
Chef?

Et que ferait ce dernier?

Un espoir me vint, fou, envahissant,
magnifique. S'il acceptait la palabre? Si
j'arrivais à lui faire comprendre le bien
que je voulais accomplir?

Tiens, s'il venait ici, s'il voyait de ses
yeux les femmes affaissées, les enfants

tristes, les hommes sans gestes? S'il réalisait du coup que ma demande ne rendait pas seulement aux Montagnais leur honneur, mais au Canada entier un peuple neuf à ajouter aux autres, une richesse, un savoir, le recommencement d'une grande sagesse?

Je voyais déjà, dans mon rêve, aux palabres ordinaires des Blancs participer les chefs de nos tribus, apportant le don de leurs traditions.

«Percez à votre guise ce grand canal, mais respectez ce faisant le versant d'eau qui va irriguer vos régions de lin et de trèfle. Portez ce commerce aussi loin que vous voudrez, mais que croisse ce lin et que fleurisse ce trèfle dont nos peuples ont besoin...»

Rien, si peu...

«N'entreprenez pas d'étendre aujourd'hui votre empire. Il est des signes dans le ciel qui interdisent la levée des guerriers. Et il n'est point de combat plus guerrier que le combat de l'homme contre la nature. Le combat de l'homme contre l'homme n'est qu'une gymnastique d'insectes et aucun dieu ne s'en préoccupe. Mais reculez des monts ou harnachez des eaux et votre guerre contre les Manitout dominateurs des sols et des eaux devient terrible. Attendez pour l'entreprendre que le Tshe Manitout le plus grand de tous vous en donne le signe d'accord dans le ciel...»

Bien sûr, l'on rirait.

Les Anglais méthodiques et les Canadiens français railleurs se moqueraient de nos chefs importuns. Mais lorsque cent prévisions confirmées prouveraient qu'ils ont la sagesse, ne seraient-ils pas acclamés et vitement haussés au niveau des seigneurs?

C'était un rêve.

Au bout du délai de six jours et malgré tout l'affairement à la réserve, encore une fois ni le Grand Chef ni un délégué ne furent au rendez-vous sur la rivière Bersimis.

Ainsi donc la troisième étape devait s'accomplir.

12

Kaya le loup vint s'affaler contre une souche et resta là, couché, attendant. Mais ce n'était pas ainsi qu'il voulait mourir. Il avait besoin de combattre le mal qui plongeait en lui, besoin de le chasser, de recouvrer sa force. En venant à travers un fourré, il avait mâché des feuilles dont il savait les effets bénéfiques. La douleur n'était pas disparue.

Sur un terre-plein dont le sol était nu et la terre humide, il s'était roulé pour que la blessure soit bien enduite d'humus. Avec sa langue toute salivée il avait détrempé cet humus, en avait fait une boue qu'il avait glissée bien creux entre les lèvres béantes de la déchirure au flanc.

Couché maintenant, bien tapi à l'abri des regards, il pouvait attendre que le mal guérisse. C'était ainsi que sa mère, une grande louve de Mishikamau le lui avait enseigné autrefois.

Autrefois, c'était loin derrière. Des années, de longues années. Une vocation de bête. Kaya avait été une force parmi la meute. Quand il hurlait, cinquante voix répondaient aux quatre coins de l'horizon. Avait-il jamais dénombré le *pack*? Combien de jeunes femelles attirées des autres *packs* vers le sien, fascinées par son odeur à lui, l'odeur maîtresse, effluve de force et de muscles, d'agilité et de ruse?

Qui mieux que lui pouvait mener la meute au sang?

Qui?

L'autre?

Plein de son mal, combattant la mort de toutes ses forces, Kaya, le museau étendu sur les pattes d'avant bien à plat, se remémora les derniers mois.

L'autre...

Cet autre, le jeune Kimla. Étranger parmi eux, venu de la Cahonga en intrus, parlant haut, bousculant les anciens. Il bondissait hors des fourrés, il transportait des dépouilles chaque fois. Avait-on déjà vu Kimla la gueule vide?

Kaya contre Kimla. Mais il fallait des forces. Et il fallait le respect de la meute. S'inquiéterait-on de lui? Une jeune femelle viendrait-elle flairer ces buissons, découvrir Kaya? Il y avait longtemps que son odeur n'attirait plus les femelles. C'était à Kimla qu'elles allaient.

Kaya se raidit. Il ne fallait pas dire les choses ainsi. C'était admettre la défaite sans combat. Kimla n'était qu'un écervelé, ayant la veine de vivre en une forêt de bon gibier. Il n'avait pas de mérite à trouver des proies dans chaque fourré. S'il avait vécu autrefois, lorsque la forêt était déserte et qu'il fallait chasser deux jours pour trouver un chevreuil? Lorsqu'il n'y avait même pas assez de rats et de taupes pour nourrir les louveteaux dans le terrier?

Le vieux loup bougea, et la douleur le raidit un peu. Il respira plus fort, mais ne geignit pas. Il fallait le silence, il fallait l'immobilité. Il fallait le secret.

Il fallait surtout le secret. Le *pack* devait ignorer où était Kaya. Cela donnerait peut-être à Kimla la liberté voulue, la chance de se prétendre chef, d'ancrer ses positions à la tête de la meute, mais Kaya ne pouvait pas se présenter au *pack* avec cette blessure. Une femelle viendrait flairer son flanc, et n'irait-elle pas raconter aussitôt que c'était d'un vison que venait le mal? Que lui, Kaya, le chef de la meute, en marchant dans une trail avait bêtement laissé un vison lui bondir au flanc et le mordre? Et que ce vison, jeune et fort, avait presque eu raison du loup, vieux maintenant et moins habile, moins leste?

Le *pack* apprendrait la faiblesse de Kaya. Et les jeunes, Kimla en tête, se jetteraient sur lui et le dévoreraient.

Une belette vint non loin, montra la tête par-dessus les herbes. Elle observa la masse grise du vieux loup, supputa la raison de sa présence, fureta du regard partout autour de Kaya, et le long du flanc. Elle vit la blessure, huma le sang et s'approcha. Elle ne semblait même pas inquiète et le souffle haletant du loup ne l'effrayait pas. Vitement elle le contourna, vint à portée des pattes. Kaya, déjà aux aguets, lança les griffes. Mais l'atteinte du vieux loup ne porta point. La bête esquiva le coup d'un saut de côté et vint se jeter sur la plaie sanglante.

Kaya, désespéré, se mit à hurler. Que se passait-il en lui, pourquoi cette panique atroce, cette peur au ventre? Il hurla, appelant la meute à sa rescousse, soudain indifférent à tout ce qui arriverait. Une seule chose comptait: éloigner la belette, éloigner le danger! Elle était capable de lui sauter à la gorge, de fendre la carotide de ses dents acérées, et que pourrait-il contre elle?

Le vieux loup appela, appela, mais la meute ne vint pas. Seul Kimla vint et se tint là un moment, observant la scène. Il avait la gueule ouverte et une sorte de rictus découvrait les crocs. La victoire lui venait vite et bien, la meute serait à lui et Kaya ne contesterait plus jamais.

Il bondit alors sur le vieux loup. La belette s'enfuit. Sur l'herbe d'hiver, puis sur la neige plus loin, et sur le glacis dans les fourrés, les deux loups combattirent.

(Comprends-tu un peu pourquoi je te raconte l'histoire de Kimla, le loup vainqueur? Et celle de Kaya, le vieux loup rejeté par le meute?

Crois-tu que je vois en Kimla mon image à moi, qui ne t'ai pourtant pas caché mon âge?

Remonte en arrière plutôt, songe que le vieux loup, c'est moi. Moi qui suis pour ainsi dire rejeté par la meute. Moi qui lèche mes plaies béantes, ce mal en moi que me fait la vie.

Et Kimla... Kimla, le jeune, l'audacieux, le puissant qui balaie tout, qui repousse brutalement ce qui barre son chemin, qui est-ce? Ai-je besoin de le dire?

Qui est jeune en ce pays, et fort, et cruel? Qui est intransigeant et brutalise les obstacles?

Les expéditions de petite guerre, je te le dis, étaient de même pensée que le harcèlement de Kimla le jeune loup contre le vieux Kaya. Et la meute est derrière, attentive, retenant son souffle, cruelle avec les cruels, capable de compassion si ses maîtres ont pitié. Capable de dévorer aussi, pourvu qu'on lui en donne quelque raison.

«L'Indien cruel fut bientôt vaincu et nous pûmes poursuivre en ses tribus nos évangélisations.»

Montre-moi un Dieu qui me veuille bon à mon tour. Mais que cette bonté soit exigée aussi de toi, Homme blanc.

Est-ce trop demander?

Kaya, peu méfiant, laissa Kimla entrer dans les territoires de la meute. C'en était fait du vieux Kaya dès cet instant.

N'eût-il pas fallu que nous repoussions les Blancs à la mer dès le premier jour? Dresser des embuscades, clore les rivières, tarir les sources fraîches, brouiller les pistes?)

Kimla bondit sur Kaya. Sur le sol ce jour-là et pendant plus longtemps qu'on ne l'aurait cru possible, deux loups combattirent jusqu'à la mort de l'un d'eux.

Ce fut Kimla qui survécut.

J'aurais voulu courir à l'aveuglette, frapper à grands coups sur les arbres, piétiner les plantes, hurler comme une bête enragée, me vider de la colère immense qui me rendait fou. Et en ces gestes futiles, inutiles, sans suite et sans raison, exhaler ainsi le ressentiment qui grimpait en moi venu de cent générations en arrière.

Et au contraire de Kaya, secouer ma vieillesse, mon usure, ressusciter la force vive de mes tribus et les lancer à l'assaut de tous les Kimla.

Je l'aurais voulu, mais pour l'accomplir, n'avais-je pas appris depuis longtemps qu'il me fallait immobiliser les coups, taire la voix, apaiser les tribus, emprunter le visage impénétrable de mes ancêtres et n'offrir aux Blancs qu'un combat de ruse et d'astuce...

Quel étrange sentier foulaient mes pas?

13

Quand six autres jours de ces temps furent écoulés, rien ne s'était produit et personne n'était venu. Aux confluents des équinoxes et des alizés superbes, les vents pouvaient bien bouleverser les cieux, nul astre ne s'en souciait.

Moi, Ashini, descendant des lignées éternelles, je reconnaissais enfin que je portais la dernière semence montagnaise en ce pays.

Le second message fut écrit du même sang et porté de la même façon, mais plus tard dans la nuit. Si tard que déjà de blafards rayons d'aube caressaient la mer en est. Et les maisons alignées, leur silence gris, donnaient à la réserve l'aspect d'un étrange cimetière. Le cimetière d'un pays, marqué de stèles symboliques.

Peut-être bien qu'elle était vraie cette mort de Pikal, de Tiernish, de tous les autres, de chaque femme, de chaque homme issus de notre antique prestige. Et qu'au matin, ce n'étaient plus des vivants qui s'éveillaient, mais les fantômes d'un peuple disparu.

Dans cette nuit dense, sans lune, immobile et léthargique, j'ai pu clouer à la porte de Lévesque le deuxième message.

«Si dans trois jours le Grand Chef Blanc n'est pas venu discuter la libération de mon peuple, il perdra la face.»

Est-il un homme d'honneur, porteur de sa perpétuation, qui accepterait l'atteinte profonde à son orgueil, l'insulte à sa dignité? Qui perdrait la face sans fléchir?

Du fond de mon pays sauvage, je pouvais, moi, porter l'insulte jusqu'au premier ministre du Canada. Il ne s'en relèverait point, car il est un devoir sacré des chefs d'habiter les lieux les plus escarpés de l'honneur. C'est la condition première de ceux à qui les dieux ont confié un destin de puissance. Nul ne peut régner qui a perdu la face, car alors son règne serait une duperie.

Trois jours durant, j'ai dormi. Il venait en moi une longue et insidieuse lassitude, le besoin on eût dit de me réfugier en des mondes de rêves où plus rien de mes réalités ne m'atteindrait.

Tel l'animal qui se roule en boule au fond de son terrier et hiverne à demi mort.

Je fis des rêves. Je fus porté vers des terres antiques où les Montagnais occupaient les faîtes et les hauts promontoires. Et les tribus rassemblées chantaient à voix unie un grand chant d'amour envers leurs contrées d'homme et le don des dieux.

Comment te dire ces rêves? Ils n'étaient que des images continuelles, sorte de grand déroulement que je contemplais de loin, participant sans bouger, incorporé et pourtant tenu à l'écart.

J'étais l'un d'eux. (Je chantais avec eux et j'étais heureux de leur même bonheur.) Et néanmoins je me savais seulement un Montagnais déchu, endormi sous un abri.

Un homme se détacha des tribus, enjamba des vallées et vint me toucher l'épaule.

— Comment t'appelles-tu? me demanda-t-il.

— Ashini, et j'habite le lac Ouinopakau.

— Moi aussi je me nommais Ashini, dit l'homme qui avait enjambé les Portes de l'Enfer.

Il rouvrit la blessure à mon bras et prit de mon sang qu'il toucha du doigt, qu'il goûta. Puis il sourit en hochant la tête et sa voix avait la douceur des miels aoûtés.

— Ce sang est pur et digne, dit-il. Il a le goût de l'immolation.

Éveillé, je compris qu'il m'avait été transmis un message. Du fond des Terres de Bonnes Chasses, les dieux consacraient mon œuvre.

Aux aubes des prochains jours, tout sang versé honorerait et perpétuerait. Je n'étais plus seul. Je ne serais jamais plus seul. Compagnonnage sacré de l'homme avec son âme, j'avais retrouvé mon âme. Cela ne se nommait plus le fils aîné ou le fils cadet et j'oubliais le nom de ma fille enfuie. Le corps de la femme pouvait gésir sous la terre d'élection. Il m'était donné plus et mieux. J'habiterais maintenant le campement dernier, celui des élus, des marqués au cœur.

«Ce sang est pur et digne. Il a le goût de l'immolation.»

Rien de plus ne pouvait arriver désormais. Le chemin était parcouru, le terme atteint. Je pouvais dresser le tipi qui ne serait jamais abattu.

Trois jours avaient passé, le Grand Chef Blanc n'était pas venu. J'ai lancé mon bras de nouveau et recueilli le sang d'écriture dans un vaisseau d'écorce.

Ce dernier message, je l'ai porté à l'aube du lendemain. Si l'on attendait ma venue au plus noir de la nuit, on se lassa, car je vis alors que du soleil montait de l'est et que les guetteurs possibles avaient dû s'endormir.

Lorsque Lévesque trouva le message, il y lut les derniers mots humains que j'allais écrire.

«Maintenant le Grand Chef Blanc perdra la face et le pays entier sera bouleversé. Ceux qui regarderont demain le symbole de leur déchéance me verront en toute ma force.»

14

Une route descend des Métropoles et longe le village indien des Betsiamites.

Les Blancs ont érigé un pont d'acier, une masse énorme et laide qui relie les rives escarpées de la Bersimis.

Sortant de ce pont pour entrer sur les territoires concédés, il y a en bordure de la route un poteau où fut clouée une affiche odieuse. On y lit: RÉSERVE INDIENNE DES BETSIAMITES.

J'ai souvent contemplé cette borne-frontière avec horreur. Car il était là dans toute sa puissance, ce symbole de ségrégation. Intangible barbelé, obstacle, contrainte.

Et c'était là, en pleine vue, au souffle du vent glacial et dans la lumière morne du matin d'hiver, que j'accomplirais mon destin tout en assurant celui des miens.

On n'avait pas entendu ma voix, la voix d'un homme seul criant de son désert.

Mais on entendrait d'autres voix, la voix horrifiée des justes, pour une fois plus forte, pour une fois groupée et réclamant l'équité des lois.

Quand je me suis rendu au poteau indicateur, les parages étaient déserts. Plus déserts, me sembla-t-il, qu'ils ne l'avaient jamais été.

À quoi rêvaient les Montagnais déchus dans leurs lits trop mous?

Sous combien de toits un acte de continuation avait-il été accompli cette nuit-là dans le village indien des Betsiamites, dont les fruits d'automne seraient, sans le savoir si tôt, les premiers venus de la nouvelle et libre race montagnaise?

Sauraient-ils me devoir leur sang neuf, ne fût-ce qu'en demi-souvenir d'écoliers indociles? Mon nom leur sera-t-il douceur et fierté?

J'ai accroché, au sommet du poteau de bois blanc, la bride du harnais d'aisselle que je m'étais fabriqué.

Ainsi suspendu, mes pieds ne touchaient que difficilement le sol, et je ballais au vent du matin.

Puis, avec mon couteau, j'ai tranché l'artère de mon poignet droit, et vitement ensuite celle du poignet gauche.

En un flot rapide, dans le matin blême, toute la vie s'est écoulée de mon corps.

Mais j'ignorais, alors que je mourais petit à petit, pendu à ma croix nouvelle, que pas un de mes messages n'était parvenu au Grand Chef Blanc.

Et que, sur le certificat officiel de décès, l'on inscrirait, dernier opprobre:

Ashini, Montagnais, 63 ans,
suicide dans un moment
d'aliénation mentale.

Épilogue

Il s'est fait un noir profond d'où je suis sorti dans la lumière immense.

Aux côtés de Tshe Manitout le bienfaisant, j'habite maintenant, au-delà de la vie, les Terres de Bonnes Chasses.

J'y ai retrouvé tous ceux des miens morts avant moi. J'ai la faveur de tous les Manitout du Tshe Manitout divisible et infini, pour avoir mené au nom de mes tribus un combat héroïque et sans issue.

Ici, j'ai appris tous les événements de toutes les vies qui m'étaient chères. Les angoisses de ma femme, le remords de mon fils presque transfuge lorsque la balle du Blanc lui retira toute vie. Et les pénibles étapes de la mort de mon fils aîné lorsqu'il périt sur une berge solitaire.

Mais je connais aussi maintenant les joies qu'ils eurent tous et le secret désir qui habite au cœur de ma fille encore vivante de retrouver les anciens bonheurs.

Et je possède toutes les sciences.

Celles des sous-bois, celles des rives, celles des eaux, celles des montagnes et celles des vallées.

Tous les mots, innombrables et nuancés, qui furent jamais inventés en ma langue et le rythme de leur expression, voici que désormais ils me viennent sans effort, et je puis tracer sur les écorces, de mon sang inépuisable, les pages de ce livre.

Je vois aussi les entreprises des Blancs en mon pays. Et je vois la misère des Indiens. Et je mesure à leur grandeur exacte les puissances des Blancs, leurs villes, leurs industries, leurs barrages et les routes qui écorchent déjà ma forêt.

Et je ne peux plus douter maintenant que pour troquer leurs haillons pour les blousons de cuir luisant, pour habiter des maisons où nul vent d'hiver ne s'introduit, les Montagnais doivent à jamais renier ce qu'ils furent ou ce qu'ils pourraient être.

Il ne s'agit pas pour les Blancs d'imposer ces choses. Ils ne songeraient même pas à en discuter, tant elles leur apparaissent logiques et bonnes.

Comme autrefois ils offraient des verroteries, des pacotilles contre les pelleteries, aujourd'hui ils offrent à mes gens les néons, les rues pavées et les costumes de terylène.

Et le malheur c'est que mes gens ne reconnaissent pas la folie de ces marchés de dupes.

Ils ne savent pas ce qu'ils donnent en échange, parce que personne ne le leur a dit et qu'il n'est point de mots dans la langue des Blancs pour décrire une richesse dont ils ignorent même le cours.

Ni les gens des réserves ni même les Blancs de la ville n'ont appris pourquoi j'étais mort. Et le Grand Chef Blanc n'a point perdu la face.

Il n'a même jamais reçu mes messages.

J'écris donc aujourd'hui ce livre de sang. Point ne sera besoin qu'on le lise. En mon au-delà, je puis faire en sorte que chacun des mots de ma langue tel que je l'inscris sur ces écorces trouve écho en l'un de mes descendants et que, par le juste retour de tout remords, celui-là transmette le récit.

Mais mon peuple est si petit et les autres peuples si grands que ce récit ne produira pas plus d'effet que n'en a une pointe de flèche taillée dans le silex, dormant dans la vitrine d'un musée pour l'ébaudissement de curieux qui n'en comprennent point l'antique importance.

DOSSIER

PÉJANO
Dramatique radiophonique

Le texte reproduit ici est pour l'essentiel celui du microfilm conservé à l'Université du Québec à Trois-Rivières et publié une première fois dans *Yves Thériault et l'institution littéraire québécoise* (Hélène Lafrance, Coll. «Edmond-de-Nevers», Québec, IQRC, 1984, p.143-156). Nous lui avons cependant apporté quelques ajustements relevés de l'enregistrement radiophonique. Notons également que, contrairement à ce qui est indiqué dans l'ouvrage d'Hélène Lafrance et dans le *Répertoire des œuvres de la littérature radiophonique québécoise 1930-1970* (Pierre Pagé, Coll. «Archives québécoises de la radio et de la télévision», Montréal, Fides, 1975), où cette dramatique est répertoriée, la réalisation de cette émission du 2 novembre 1958 n'avait pas été assurée par Jean-Guy Pilon, mais bien par Ollivier Mercier-Gouin. Enfin, le bref passage entre crochets de la page 178 avait été retranché lors de la diffusion.

Par ailleurs, une adaptation radiophonique d'*Ashini*, diffusée une première fois le 13 janvier 1964 sur les ondes de la Société Radio-Canada dans le cadre de l'émission «Sur toutes les scènes du monde» et réalisée par Ollivier Mercier-Gouin, reprend le roman presque mot pour mot. Pour cette raison, nous n'avons pas jugé utile de l'inclure ici.

Péjano

Nouveautés dramatiques
2 novembre 1958
Texte: Yves Thériault
Réalisation: Ollivier Mercier-Gouin
Société Radio-Canada

DISTRIBUTION

Leclerc, Paré, Boisvert et Amyot: tous à peu près du même âge, soit environ quarante ans ou plus.

Inspecteur: Environ soixante ans.

MUSIQUE: Musique-thème.

ANNONCEUR: *Nouveautés dramatiques* vous propose ce soir un texte d'Yves Thériault, intitulé «Péjano». Ollivier Mercier-Gouin nous parle d'Yves Thériault.

OLLIVIER MERCIER-GOUIN: Yves Thériault est un type étonnant. Il n'écoute pas la radio, contemple rarement la télévision. Il ne faut pas lui en vouloir. Pendant que vous écoutez *Nouveautés dramatiques*, il tape à la machine. Tandis que vous attendiez le dénouement de son «Aaron», à la télévision, il tapait encore à la machine. Et en ce moment, tandis que je vous parle, il rédige sans doute un de ses textes. Veuillez écouter «Péjano», un texte de l'infatigable Yves Thériault.

MUSIQUE: Musique-thème up and out.

LECLERC: Boisvert, Paré, Amyot et moi, on avait loué une ligne de trappe du gouvernement, plus haut que la Baskatong, jusqu'à la pointe de la Baie James. C'était pas une des meilleures, mais on s'est pris trop tard, on a eu ce qui restait. C'était pas une des meilleures parce qu'il y avait des Sauvages pas loin de là qui venaient trapper jusqu'à la crique. La crique, c'était notre limite, si on peut dire, not' frontière. On avait le sud-est de la crique, les Sauvages trappaient de l'autre bord. En seulement, le gibier à poil, personne y'a montré la place des frontières. Surtout que la crique était d'eau basse, pierroteuse, facile à traverser même pour le gibier qui a peur de l'eau. Tout ça pour dire qu'on avait affaire à marcher loin pour rapporter quatre ou cinq peaux. On a piégé, j'vous mens pas, la pleine longueur de la ligne, vingt milles, puis la pleine largeur, un mille par boutte, un demi-mille dans d'autres, dépendant de la crique. Amyot est même retourné deux fois à Manouan en portage avec Boisvert, à seule fin de rapporter des pièges. Finalement, on avait ben compté quinze cents à deux mille pièges dans la ligne. Une affaire jamais vue. On piégeait même dans les ravages d'orignaux, fallait qu'on soit découragés...

Une journée portant l'autre, avec autant de pièges pis en nous barouettant dru d'un bout à l'autre de la ligne, on arrivait à se faire une vie. On serait pas crésus au printemps, mais on pourrait manger nos trois repas. En laissant rien dans les pièges trop longtemps, voyez-vous, on évite de faire manger les prises par les renards... En tout cas, tout ça, c'est pour vous conter l'histoire d'un Sauvage, un dénommé Péjano... J'voulais que vous vous mettiez ben la place, pis le climat, pis not' ouvrage en tête... pour que vous compreniez mieux...

L'ouvrage, quand on est trappeur, c'est de tendre les pièges d'abord, en arrivant sur notre ligne. Puis ensuite, c'est de visiter les pièges pour ramasser les prises. Si un piège a sauté, faut le replacer... C'est de la marche... Vingt milles de long, dans le bois, en hiver, c'est de la marche. À quatre, on se partage la besogne... L'affaire en est que, de la manière qu'on avait arrangé ça, on se voyait deux par deux, Amyot et moi, une fois par semaine, puis tous les quatre ensemble, une fois par quinze jours. Je veux dire, Boisvert, Paré, Amyot, et puis moi. Si j'dis tout ça, c'est pour pas être obligé de vous expliquer chaque détail à mesure que je vous conte l'histoire... En par cas, un matin qu'on était deux par deux.... ça se trouvait un samedi, j'étais au camp avec Amyot. On s'était bâti un bon camp de bois rond, ben chauffé. Une fois par semaine, se retrouver là, c'était pour ainsi dire le grand confort. Coucher en sac, dans la neige, en dessous d'un abri quand il fait dans les vingt en bas de zéro, ça donne le goût d'une place chaude, avec quatre murs, un toit et puis une porte!... Donc, je sors du camp. Un matin bleu, le froid à fendre au couteau, les arbres pétaient comme des trente-trente dans le bois. J'allais haler un peu d'eau à la crique. C'était de l'eau blanche, vite comme du vent, qui gelait un peu sur le bord, mais jamais au milieu. Ça déboulait, c't'eau-là, que c'en était une ennuyanterie la nuit, tellement ça grondait. Un vrai massacre... Ça fait que, j'm'en vas vers la crique. On avait fait une éclaircie devant le camp, mais on avait laissé deux bouleaux pour l'ombre, en cas d'être là tard au printemps, venant le commencement des chaleurs. Y'avait-y pas de quoi taqué à un des arbres. Sur le coup, j'ai passé tout droit, mais ça m'a accroché l'œil par le coin, j'suis revenu sur mes pas... C'était un assez grand morceau d'écorce de bouleau. Le côté blanc. Y'avait de quoi écrit en rouge dessus... J'ai lu ça, puis vitement j'suis revenu au camp.

BRUITEUR: PORTE À CLENCHE QUI REFERME
LECLERC: Amyot!...
BRUITEUR: DES PAS LOURDS
AMYOT: T'as pas d'eau...? Qu'est-ce c'est que t'as dans la main?
LECLERC: Regarde...
AMYOT: De l'écorce de bouleau?
LECLERC: C'était taqué sur l'arbre, en avant du camp.

AMYOT: Y'a de quoi d'écrit dessus, en rouge...

LECLERC: J'gagerais pas, mais ça m'a l'air du
      sang.

AMYOT: C'est en français...

LECLERC: Ben, lis, lis...

AMYOT: (LIT) «Mon peuple sera libre. Dis au
      Grand Chef Blanc de venir me rencon-
      trer»... (PAUSE)... Signé: Péjano...

LECLERC: Péjano.

AMYOT: C'est une farce?

LECLERC: Ça fait loin à venir, pour un farceur.

AMYOT: Oui... C'était taqué sur l'arbre?

LECLERC: Y'avait des traces de pas près de
      l'arbre. Des mocassins.

AMYOT: Un Sauvage...

LECLERC: Disons...

AMYOT: À moins que Boisvert ou ben Paré ait
      voulu nous jouer un tour.

LECLERC: Ils sont à l'autre bout de la ligne, à
      vingt milles... T'as vu le froid? Le temps
      qu'il faisait hier? C'est sûrement pas eux
      autres.

AMYOT: (SONGEUR) «...dis au Grand Chef
      Blanc de venir me voir...»

LECLERC: C'est drôle de lire ça, hein?

AMYOT: Oui... Qu'est-ce qu'on va faire?

LECLERC: Qu'est-ce qu'on peut faire?

AMYOT: Pas grand'chose... Péjano, tu connais
      ça, toi?

LECLERC: Non.

AMYOT: Un Sauvage, certain. Mais, quelle sorte? De la réserve de l'autre bord de la crique?

LECLERC: Ça doit... Les seuls Sauvages dans le bout, c'est ceux-là. À croire que Péjano, c'en est un d'eux autres...

AMYOT: Un chef... Il parle de son peuple...

LECLERC: On peut dire qu'il a les idées embrumées... «Dis au Grand Chef Blanc de venir me rencontrer.» (RIT) Vois-tu ça, le Premier Ministre rendu dans nos parages? En bottes étanches, en mackinaw, son canot de toile sur les épaules... Ôtez-vous les rats musqués, j'm'en viens faire un petit discours...

AMYOT: (RIT) Oui, ben on a de l'ouvrage à faire... Faudrait commencer...

MUSIQUE: Fade-in, puis en background sur la réplique qui suit.

LECLERC: On s'est remis à l'ouvrage! Raquette par-dessus raquette, quatre pieds de neige molle dans le bois, c'est pas d'avance. Un piège à tous les respirs, la largeur de la ligne, à deux on couvrait la longueur d'un cri par jour non sans misère... À part de ça que le bois était mêlé comme des cheveux de femme le lendemain matin des noces. Ça poussait à hauteur d'homme, agrippé aux arbres comme d'la méchante engeance. On avait posé les pièges à sang et à sueur. Pour les relever, l'ouvrage était double.

MUSIQUE: Fade-out.

LECLERC: Au temps du posage, on avait du fond dans le bois. Au temps qu'on était, avec la neige molle, y'avait de quoi se faire capucin, rien que pour la joie de vivre. Bûche un trou, nage dans la neige au nombril, trouve le piège... On a trouvé des bêtes mortes, six pieds de creux, il a fallu presquement pelleter pour les sortir. Mais, pour dire comme disait Amyot, un piège, ça flotte pas sur la neige. On le retrouve où c'est qu'on l'a mis. On est pas pour l'accrocher à la hauteur des branches des arbres, en par cas de neige double épaisseur. On pose le piège, on prend la neige comme elle vient. Des hivers, y'a pas de quoi couvrir le fond puis on marche sur les aiguilles six mois de temps. D'autres hivers, la forêt est raccourcie de moitié sur la hauteur. Ça dépend du Bon Dieu, puis entre vous puis moi, jusqu'à date, le Bon Dieu, y'a mené son affaire tout seul en question de soleil, de pluie, ou ben de neige. Tout ça pour dire que, ni moi ni Amyot on a eu le temps de penser à l'écorce écrite du matin. Pas plus le lendemain que la veille, puis, la semaine a passé sans qu'on y repense. On arrivait au camp le soir — les soirs où c'est qu'on a pu y venir étant à portée de marche — on arrivait au camp le corps désâmé, puis l'âme pas plus vaillante que le corps. Dors, mon gars, puis venant cinq heures le matin, debout, le visage fripé comme d'la tignasse de mouton au printemps, les yeux dans le sirop puis la bouche figée. À la fin de la semaine, par exemple, quand Boisvert et Paré nous ont rejoints dans le camp par l'entour de la ligne qui leur revenait, on a pu parler de l'aventure. D'autant plus que le premier matin où c'est qu'on a été quatre dans le camp, y'avait un autre message taqué à l'arbre. Une phrase de plus que le premier, mais pas mal le même récit. C'était encore signé Péjano...

BOISVERT: Tu parles d'une drôle d'affaire...

AMYOT: Tiens, regarde le premier... c'était la même chose, ou à peu près.

PARÉ: Montre-moi ça. (LIT) «Mon peuple sera libre. Dis au Grand Chef Blanc de venir me rencontrer...» (À BOISVERT) Puis celui d'à matin, qu'est-ce qu'il dit?

BOISVERT: (LIT) «Mon peuple a le droit d'être libre. J'exige un palabre avec le Grand Chef Blanc. Dis-lui de venir.»

LECLERC: Comme c'est arrangé, on peut pas nier que les messages, c'est à nous autres qu'il les donne. Les pistes étaient fraîches autour de l'arbre encore à matin. Il doit surveiller le camp...

PARÉ: Mais pourquoi? À quoi c'est qu'il veut en venir?

LECLERC: Écoute, Paré, si on le savait, on n'aurait pas à se casser la tête. Toi, Boisvert, as-tu une idée?

BOISVERT: Ben... à franchement parler, un peu... Voyez-vous, j'le sais qui c'est, Péjano...

TOUS: Exclamations de surprise.

BOISVERT: J'le sais sans le savoir... J'devrais peut-être pas dire ça, mais la semaine dernière, j'ai traversé la crique pour poser un piège...

TOUS: Exclamations réprobatrices.

BOISVERT: Oui, oui, j'sais, j'sais...

LECLERC: Notre ligne à nous autres est de ce bord-citte. Les Sauvages sont de l'autre bord.

BOISVERT: Ben oui, mais... y'ont pas de pièges dans ce bout-là...

LECLERC: Quand même, le gibier est à eux autres.

BOISVERT: Le gibier va et vient. Il traverse, il retourne de l'autre bord. Il est pas marqué nord ou sû, le gibier... En tout cas, j'étais après relever un piège, y'arrive un vieux Sauvage... Monsieur qu'il m'en a dit pendant cinq minutes. Français-anglais-sauvage mélangés. de la vraie bouillie pour les chats. Il était en masse assez enragé pour me tirer au fusil. Mais juste comme c'était pour tourner mal, il est arrivé deux jeunes... des braves de sa tribu, j'suppose. Ils ont calmé le vieux, ils m'ont dit que j'devais pas chasser de ce côté-là de la crique...

LECLERC: Ils t'ont pas fait de misère?

BOISVERT: Non... mais, à leur parler, j'voyais que j'étais mieux de filer doux... j'ai regagné mon bord de la crique... De là, j'leur ai demandé qui c'était, le vieux fou, puis là, le visage leur a changé... Y'en a un qui a dit, sec: «C'est Péjano, c'est notre chef.» Mais sec, cassant... J'étais mieux de me fermer et puis de m'en aller.

PARÉ: (UN TEMPS) C'est tout?

BOISVERT: J'me suis fermé, j'me suis en allé.

AMYOT: Tu dis qu'il avait l'air d'un fou?

BOISVERT: Ben... y'avait pas nos manières à nous autres, c'est certain. Ça le met pas fou, mais ça le met drôle.

AMYOT: Ouais... Puis c'est leur chef?

LECLERC: Il veut parler au premier ministre... (SONGEUR) Si c'était pas ridicule, ça serait comique... Mais j'vous assure que j'me sens pas capable de trouver ça comique...

PARÉ: Vois-tu ça, une révolution de Sauvages en plein bois... Ça dérangerait pas gros les p'tits chars de Montréal!

LECLERC: J'voudrais bien savoir à quoi ça va mener, ça...

BOISVERT: À pas grand'chose.

AMYOT: C'est à savoir.

LECLERC: C'est à savoir, certain.

MUSIQUE: Un jet: puis en background

LECLERC: On a été quinze jours sans se voir, les quatre. Je veux dire qu'Amyot et moi, on a été tout le temps ensemble, mais les deux autres sont remontés chemin r'faisant, pour couvrir le nord-ouest de la ligne. On était pas riches en peaux, on avait pas de quoi payer le gréement, les pièges et les provisions. Le profit se calculait au petit crayon, un moins un égale zéro. Mais y restait trois bons mois, pis avec d'la chance, on pouvait se rattraper.

C'est du mystère, les bêtes dans le bois. Pendant un temps, on pognerait des mouches noires au piège, tellement tout se prend sans forcer. D'autres temps, on dirait que les bêtes passent des diplômes. Les v'là aussi fines, aussi rusées que nous autres.

MUSIQUE: <u>Fade-out.</u>

LECLERC: On piège les pistes à boire, les chemins de visons, les taillages de rats musqués, les trous d'air des castors, les charniers où c'est que les renards mangent. On piège tout ça, c'est comme si on piégeait dans le désert. On marche des heures de temps sans voir une piste. On couche dehors pis on entend rien. C'est à croire que les bêtes sont parties faire un voyage ailleurs. Pour être trappeur, faut être patient, c'est sûr. Amyot disait, lui, qu'il faut être bête. C'est selon. Cent peaux de vison foncé canadien, ça vaut son pesant d'or. Cinquante peaux de castor, allez-y voir qu'un gars vit monsieur les mois d'été. Par hasard si on a du pécan, de la martre, un peu de loutre, des rats musqués, venant le printemps, on a la fierté haut placée, prenez-en ma parole. Mais une mauvaise saison, ben, ça nous rabat l'humeur. Moi comme les autres.

des pièges vides, ça m'assèche les célébrations... Mais je reviens à Péjano. Quinze jours de temps, j'avais d'autre chose à penser que le vieux Sauvage. Puis, comme y'avait pas de messages taqués sur l'arbre le matin, j'pense que toute l'affaire m'est partie de l'idée. Un homme instruit, un savant, il s'est écartillé les méninges pour en retenir ben à la fois. C'est pour ça qu'il est savant. Un homme comme moi, l'occupation de chaque jour, c'est tout ce que je peux prendre. Remarquez que c'est assez. Les gars de la ville, même les savants, mettez-les dans le bois avec moi, à piéger d'la fourrure, mon avis ils vont s'apercevoir que c'est pas de l'ouvrage pour les amateurs. Il s'agit pas d'ouvrir un piège, d'ajuster la barre, de l'accrocher, pis de mettre le piège à terre. Si c'était rien que ça, la fourrure serait toute en ville, pis y resterait rien que des mulots dans le bois. Un vison va boire, c'est là qu'on piège. Mais faut savoir distinguer entre les traces d'un vison qui va boire, pis un vison qui se promène en touriste. Sans compter qu'il vous le dira pas, hein! Même chose pour les castors, les pécans, les rats musqués. Faut savoir où mettre le piège, puis comment... Même, faut savoir quand mettre le piège d'une façon, puis quand le mettre de l'autre. Au temps que les visons s'accouplent, par exemple, y'ont pas le jugement pareil comme d'habitude. Un peu comme un gars en amour; allez donc y demander de raisonner ou ben donc de faire des grands calculs. Un vison, c'est pareil. Quand y'a ça dans l'idée, on peut dire qu'y perd un peu la boule. Dans ce temps-là, faut placer le piège autrement... J'pourrais parler deux heures de temps rien qu'à conter nos journées dans le bois... À part des bêtes, y'a le temps... le temps qu'il fait, ou ben qu'il va faire, pour un gars qui couche dehors un soir sur deux, c'est aussi important que l'état de grâce pour le gars pris dans les pattes d'un ours! Puis même les bêtes, selon le temps, agissent autrement! Ça fait ben des choses à penser. Ça fait que les messages de Péjano, prenez ma parole, on les avait loin dans l'idée... Donc, un autre quinze jours, nous v'là tous les quatre ensemble, le matin vient, j'vas à l'eau avec ma chaudière, y'a une écorce de bouleau taquée sur l'arbre. Le vieux besançon, ma foi d'honneur, y guettait le camp à journée longue!

Remarquez que je l'ai jamais vu, je l'ai jamais surpris, j'ai jamais vu de pistes! Les seules pistes, c'étaient celles qu'y'avait au pied de l'arbre quand j'trouvais un message taqué. Sitôt que j'suivais ça dans le bois, à cent pieds j'les avais perdues, c'était disparu dans les bosquets, pftt... de même. Un vrai Sauvage. Rien de plus fin qu'un Sauvage, dans le bois. Même nous autres, on est des amateurs, comparé à eux autres. Ça vit là depuis que le monde est monde, de père en fils six cent soixante-quatorze générations. S'ils connaissaient pas le bois, ça serait ben à désespérer d'eux autres, hein? Donc, je l'avais jamais vu, j'avais rien entendu, puis, j'ai l'oreille fine pis le sommeil sus l'bord... Quand même, l'écorce était là, bien taquée... Dans le camp, on a commencé à prendre l'affaire un peu plus au sérieux.

BRUITEUR: CHAISE TIRÉE.

BOISVERT: Dis-moi pas, Leclerc, que v'là un autre message du vieux?

LECLERC: Ben oui.

PARÉ: L'as-tu lu?

LECLERC: Oui.

AMYOT: Qu'est-ce c'est, c'te fois-là?

LECLERC: Lisez, vous verrez ben.

BOISVERT: (LISANT) «Si le Grand Chef Blanc ne vient pas discuter avec moi de la libération de mon peuple, je commettrai un acte qui l'humiliera grandement...»

TOUS: Des murmures étonnés.

AMYOT: Y'a vraiment l'idée que le premier ministre va venir discuter avec lui...

LECLERC: En tout cas, il se prend au sérieux.

PARÉ: Il est fou.

LECLERC: Peut-être que oui, peut-être que non...

BOISVERT: Libérer son peuple... Il est libre, son peuple!

LECLERC: (GRAVE: LENTEMENT) Penses-tu vraiment, Boisvert, que les Sauvages sont libres?

BOISVERT: Ouais.

LECLERC: Oui, s'ils consentent à aller vivre avec les Blancs, à se mêler à eux autres. Mais sur une réserve?

PARÉ: Ben... libre... c'est libre, une réserve...

LECLERC: Le mot le dit que c'est pas libre... Ensuite, le pays est aux Sauvages, si on veut être honnêtes. Il leur en reste pas gros. Y'ont pas le meilleur, en tout cas.

PARÉ: Voudrais-tu qu'on prenne Montréal, disons, pis qu'on le donne aux Sauvages, comme ça, en cadeau?

LECLERC: Ben non... j'ai pas dit que c'était faisable... Mais on parle pour parler... Le vieux, lui, demande-lui d'être raisonnable, hein? Sa coutume à lui, c'est de discuter entre les chefs des tribus. Il demande au Grand Chef Blanc de venir... c'est logique...

PARÉ: Mais il viendra pas.

LECLERC: Justement... Bon, qu'est-ce qu'il va faire, le vieux Péjano?

AMYOT: Il dit qu'il va commettre un acte qui va humilier le Grand Chef Blanc. Qu'est-ce que ça pourrait être?

LECLERC: Ça sera ce que ça voudra, mais, moi, j'aime pas l'entendre dire.

BOISVERT: Qu'est-ce que tu voudrais qu'on fasse, Leclerc?

LECLERC: J'sais pas...

PARÉ: À moins qu'un de nous autres descende à la première place... À La Tuque, par exemple, pis qu'on avertisse Ottawa?

LECLERC: Ottawa va envoyer la police, qui va venir, qui va tranquilliser la réserve... Et puis après? Est-ce que ça va calmer Péjano? Pour agir comme il agit, faut qu'il ait son idée faite... Ce genre d'idées-là, ni vous autres ni la police va les calmer. Laissons faire. On va envenimer le mal si on s'en mêle.

TOUS: Approuvent. Meubler.

AMYOT: Leclerc a raison. Laissons faire....
Après tout, c'est pas notre affaire. On a
pas assez un bon hiver pour commencer à
perdre notre temps...

MUSIQUE: Un jet: Puis, en background.

LECLERC: Perdre not' temps... C'est une phrase
riche, ça... Ça veut dire gros. C'est une
excuse de paresseux, une défense de
mécréant. On est pas pour perdre not'
temps... hum! Sacrée misère noire! Si on
avait su... On a du cœur. On est pas du
méchant monde. On sait se comporter....
même si on est trappeur. Ça durcit pas un
homme, le bois. Ça épaissit la couenne
contre les intempéries, mais ça l'emma-
lice pas. J'dirais le contraire. Ça montre à
vivre. Proche des bêtes, proches des
arbres, c'est vivant, la forêt. À courir
dedans à journée longue, on vient à faire
partie de ça, on entre dans la vie du bois.
J'ai de la misère à l'expliquer, mais j'sais
que vous allez comprendre... Un gars de
la ville entre dans le bois, il se sent
écrasé. Il est un étranger là-dedans. Nous
autres, on vient à savoir tant de choses...
Voyez-vous, les seuls bruits de la forêt...
y'en a pas un d'inutile, y'en a pas qui ont
pas une signification. Quand on vient à

connaître tous les bruits, on a l'impression que la forêt nous parle. On a l'impression de répondre, aussi... Nos gestes, notre façon de marcher, de faire un feu, de dormir...

MUSIQUE: Out.

LECLERC: Moi, la forêt, j'la respecte. J'sais qu'elle me respecte aussi. Je m'endurcis pas à vivre dedans. J'ai plutôt l'impression que je comprends mieux les gens, mon monde, quand j'sors du bois. J'ai de la pitié... j'ai... c'est un grand mot, mais, j'le sais puis j'le dis, j'ai de la compréhension. C'est le bois qui m'a donné ça... Seulement, le jour où c'est qu'on a décidé de pas s'occuper des messages de Péjano, tous les quatre, on a pas agi selon not' bon cœur, pis selon not' générosité. On a pas agi comme les gens du bois doivent agir... Chacun de notre côté, à relever nos pièges, pas plus émus que ça, c'était de prendre le mauvais chemin... Deux semaines encore, la même sorte de semaines. Le gibier plus fin que nous autres, la plupart des pièges vides... On se préparait un été maigre! Mais vornaille d'un bord, bordasse de l'autre, c'est en laissant pas un seul piège de côté qu'on arriverait à se réchapper. J'ai vu des bonnes années, moi, où c'est qu'on relevait deux pièges sur trois en laissant l'autre parce qu'il était trop loin, en le laissant avec ce qui pouvait être dedans! Des bonnes années. Il s'en fait plus, des années de même. J'avais vingt ans, puis y'avait assez de vison là-dedans pour habiller toutes les filles de Montréal des pieds à la tête puis la doublure par-dessus le marché... Le beau temps, ça! On travaillait pas pour vivre, on laissait travailler les pièges... En tout cas, j'm'éloigne de mon sujet. On a travaillé un autre quinze jours, on s'est retrouvé une autre fois tous les quatre. Le lendemain matin, comme une vraie punition de sacreur, le message écrit sur l'écorce. Mais là, c'était rouge, rouge pas ordinaire...

PARÉ: Vous savez que le vieux a écrit ça avec du sang, hein?

BOISVERT: Arrête donc!

PARÉ: J'te dis moi... Puis, fou comme il est, avec son sang à lui... Tu l'as pas vu, Leclerc?

LECLERC: Non, pas plus que les autres fois.

AMYOT: Qu'est-ce qu'il dit, à matin?

LECLERC: «Hommes blancs refusent d'avertir le Grand Chef. Péjano fera honte à tous

les Blancs. Ce matin, à la fourche de la
Kanoukouan et de la Massawi...»

AMYOT: Ah, ben!

BOISVERT: C'est pas loin... la fourche de la
Kanoukouan, c'est plus bas qu'icitte... La
crique, c'est la Massawi... elle se jette
dans la Kanoukouan... ouais... Qu'est-ce
qu'y a voulu dire, lui?

LECLERC: J'le sais pas... mais je m'en doute.
(FERMÉ) Il est peut-être encore temps...
Moi, j'y vas. C'est deux milles... En
raquettes, c'est vite marché... qui c'est
qui vient avec moi?

TOUS: Acceptent d'y aller. Meubler.

MUSIQUE: <u>Un jet: puis fade-out sur le début de
la réplique suivante.</u>

LECLERC: On est allé tous les quatre. Personne
a dit un mot le long du voyage. Moi,
j'avais un pressentiment. J'pense que les
autres l'avaient aussi. C'était la façon
que Péjano avait écrit. Des lettres bien
dessinées, fortes. Comme un homme
décidé à tout... (PAUSE) Oui... j'le sais
ce que vous allez penser... C'est la même
chose que j'pense, depuis le temps. On a
eu tort, nous quatre... Moi, surtout, vu
que je connaissais encore mieux le bois et
puis les Sauvages que les trois autres. On
aurait dû s'occuper de ça... Non, on était

des Blancs. On faisait les rois et maîtres.
On était chez nous... Ouais... Maudit
orgueuil pour la couleur de la peau.
Comme si c'était important! Comme si
ça nous rendait plus fins ou plus
importants! C'était rien qu'un Sauvage,
hein? On le traitait même de vieux fou...
Vous vous demandez pourquoi on se
dépêchait tous les quatre à se rendre à la
fourche de la Kanoukouan? Parce qu'au
fond, le remords nous mangeait. On
l'savait un peu ce qui nous attendait. Les
Sauvages sont de même... J'avais jamais
eu connaissance d'un pareil cas, mais à
connaître le caractère des Sauvages, des
fois on est capable de prévoir comment y
vont agir... J'parle, j'parle, mais j'dis pas
le principal... Toujours qu'on est arrivé à
la fourche des deux criques. On a trouvé
ce qu'on s'attendait de trouver...

PARÉ: (UN TEMPS: GRAVE: VOIX CONTENUE)
Il est mort...

BOISVERT: Figé comme une bête au piège...

AMYOT: Il s'est pendu... Vraiment, il était fou...

LECLERC: Pensez-vous?

TOUS: Des murmures.

LECLERC: On avait la gorge brûlée, d'la misère
à parler... Péjano, c'était un homme de
pas moins de soixante-dix ans. Grand, six

pieds, sinon plus, maigre, maigre comme un squelette. Il était pendu à la branche, les bras de chaque côté de lui, les veines ouvertes d'un coup, aux poignets. La neige était rouge de sang pour dix pieds a l'entour... Mais la chose que j'oublierai jamais, c'est le visage du vieux. J'ai vu ben des choses dans ma vie. Les plus belles choses que le Bon Dieu a jamais créées, parce que j'ai toujours habité le bois... Eh ben, jamais j'ai vu un visage aussi beau que celui-là, aussi noble. La figure d'un saint. [Ça me rappelait le Christ sur un beau crucifix...] Mort, tout raide, balancé par le vent au bout de sa corde, et puis il restait beau... Pas un de nous autres a pu trouver de quoi à dire. On était là, on regardait... J'pense qu'on est resté une heure à le regarder. C'est Paré qui a repris ses sens le premier, pour ainsi dire.

PARÉ: Aie, on va geler debout, si on reste icitte. Arrivez, qu'on se ramène le sang dans les veines.

BOISVERT: Puis, le vieux?

PARÉ: On va avertir son monde. Ils s'en occuperont. Il est assez haut sur la neige pour que les bêtes le rejoignent pas. Il est mieux là que n'importe où ailleurs... Arrivez...

LECLERC: On est retourné au camp... On se sentait pas Gros-Jean... Plus tard dans la journée, Amyot est monté à la réserve avertir les Sauvages. Nous autres... (SOUPIR) on a averti la police. Pour ben dire, notre saison de chasse a fini presquement là. Par le temps que les agents sont venus, qu'ils ont fait l'enquête... On leur a montré les messages écrits sur l'écorce... Ils ont dit que Péjano était fou... Fallait pas s'attendre à ce qu'ils disent autre chose... Plus tard un peu, après qu'ils ont été repartis, il est venu quelqu'un du département des Affaires indiennes, à Ottawa. Un homme qui parlait pas gros, assez âgé. Lui, il a pas dit que Péjano était fou. On était dans notre camp avec lui, il m'a écouté raconter toute l'affaire telle que je l'avais connue. Ensuite, il est resté longtemps sans parler. Ben longtemps... Puis, il nous a regardés, chacun notre tour...

INSPECTEUR: Vous savez... il y avait moins de cent mille Indiens au Canada. Aujourd'hui, il y en a beaucoup plus que cent mille... Avec suffisamment de Péjano... on sait jamais ce qui pourrait arriver.

LECLERC: Vous voulez dire que...

INSPECTEUR: Je veux rien dire, et je dis tout...
S'il existait suffisamment d'hommes
comme Péjano... (PAUSE) La police
prétend qu'il était fou... (LONGUE
PAUSE) La police est imbécile... Des fous
comme Péjano, ça renverse des empires...

LECLERC: Oui, j'sais que vous allez penser que
cet homme-là exagérait... C'est ce que
nous autres on a pensé sur le coup. Mais
c'était trop vite pour que nous autres on
puisse juger... Il a fallu que les années
passent. Au bout de vingt ans, faut ben
que j'admette que l'homme d'Ottawa
avait raison. Qu'il a dit une grande vérité.
Voyez-vous, au temps où Péjano s'est tué
pour son peuple, la réserve comptait
exactement 447 habitants. J'ai été vérifier
dans les documents... Aujourd'hui, la
même réserve compte 976 habitants, juste
le double, puis deux fois plus prospères
que dans ce temps-là... En plus, c'est le
petit-fils de Péjano qui est le chef de la
tribu... L'homme d'Ottawa avait raison.
S'il existait suffisamment de Péjano chez
les Indiens, sait-on jamais ce qui pourrait
arriver? Hein? Vous pensez pas?

MUSIQUE: Un jet.

ANNONCEUR: C'était «Péjano», un texte d'Yves
Thériault interprété par Ovila Légaré,

Jacques Létourneau, Paul Gauthier, Yves Massicotte et Guy Ferron. Opération technique, Fernand Laniel. Bruiteur, Jacques Hardy. Réalisation, Ollivier Mercier-Gouin.

<u>MUSIQUE</u>: Jusqu'à la fin.

JUGEMENTS CRITIQUES

«Le roman d'Yves Thériault, *Ashini*, est une
œuvre de revendication, de remise en question
non seulement du rapport entre Blancs et
Indiens, mais sur un plan beaucoup plus étendu,
celui de l'homme avec lui-même, avec la civilisation qu'il a créée, avec sa Destinée.

[...]

»Ashini devient l'ordonnateur d'une destinée
nouvelle pour les siens, le peuple choisi. Il part
donc en croisade. Y aura-t-il quelqu'un pour
l'écouter, pour rendre justice à son peuple? Il lui
faut agir seul, car les siens sont asservis; il com-
prend en observant leurs réserves la nécessité
d'accomplir un acte héroïque qui sût (*sic*) fouetter ce qui restait en eux de fierté. Comme Moïse
chez Pharaon, Ashini s'adresse ainsi au Chef des
Blancs:

"Je suis venu, parce que je voudrais la
liberté de mon peuple."

»L'Indien s'investit du rôle de chef de sa race, malgré sa race elle-même. Lui seul a eu la Révélation messianique et il doit sauver son peuple malgré lui. Il devient l'agent libre des dieux soucieux de continuer l'œuvre comme aux siècles antiques. Les ultimatums lancés au Grand Chef Blanc demeurent sans réponse.

[...]

»Dorénavant, le héros sort du temps et de l'espace pour habiter le rêve. Son échec devient total sur le plan de la réalité. [...] On n'avait pas entendu sa voix, la voix d'un homme seul, criant dans son désert. Mais il croit qu'on entendra, un jour, d'autres voix, la voix horrifiée des Justes, pour une fois plus forte, pour une fois groupée et réclamant des lois. Le héros s'immole sur une croix, nouveau Rédempteur sacrifié pour un monde indigne. Ce n'est que dans l'au-delà de la vie, dans les Terres de Bonnes Chasses, qu'Ashini se rendra compte de l'échec total de son immolation.

»Le roman d'Yves Thériault montre bien plus que le destin pénible d'une minorité coupée de sa terre ancestrale. Le héros, Ashini, est le symbole d'une contestation globale de la société. Il représente l'ambition de récupérer en une pleine possession et une parfaite autonomie une totalité sociale dont on a été dépossédé.»

Claude RACINE
Cahiers de Sainte-Marie, n⁰ 1, mai 1967

«Ashini. Le fier Montagnais veut être le "libérateur", l'"ordonnateur d'une destinée nouvelle" pour les siens. La révélation de cette Grande Pensée a quelque chose d'une communication surnaturelle. Ashini est l'envoyé de Tshe Manitout.

»Hélas! Tout contredit cette face positive des choses. Le vieil Indien est un homme seul, qui a vu mourir ou déserter sa femme et ses enfants et qui, à soixante ans passés, décide de convoquer le Grand Chef Blanc à une solennelle rencontre, de puissance à puissance. En somme, la grandeur du personnage est directement proportionnelle à sa naïveté, l'héroïsme se confond littéralement avec la sénilité. Pour reprendre d'utiles catégories sartriennes, on pourrait dire qu'Ashini est un héros *pour soi* et un vieux fou *pour autrui*; et que ces deux vérités du personnage sont égales et absolument inconciliables. En lui donnant la parole, jusque par delà la mort, Thériault donne consistance à la dimension épique, mais celle-ci est inévitablement minée par le constant démenti du réel. Ashini triomphe dans l'après-vie, dans l'écriture aussi — celle du "livre de sang" qu'il lègue à de problématiques "descendants" (on ne lui en connaît pas au sens propre...) — mais son combat aura été "héroïque et sans issue". On pense à la fin tragique d'Antoine, son fils, emporté par une soudaine débâcle et projeté sous la glace. Au prix d'efforts surhumains, il réussit à percer la glace et à se tirer de l'eau glacée. On le retrouve deux jours plus tard, vaincu par la fièvre et le froid. Rien ne sert d'être brave, il faut mourir à point.»

André BROCHU
*Le Roman contemporain
au Québec — 1960-1985,* Fides, 1992

«Ashini ne se contente pas de dénoncer les actions du Blanc. Messie à l'échelle de son petit peuple, il entreprend une tâche à la fois rédemptrice et prophétique. Incapable sur le plan direct de l'action, il choisit l'écriture comme moyen de rapatrier la réalité. Chez lui, la pensée est inséparable de la parole.

»Son "livre" prend de ce fait une importance capitale dans l'œuvre de Thériault. C'est lui qui donne au personnage du "poète primitif" son sens et sa signification. Il est l'expression du rêve latent, chez le primitif, de "nommer" la réalité et de la posséder à travers l'écriture.

»Mais ce "livre" est aussi le nôtre. Il témoigne de la difficulté de vivre ici et maintenant. Les revendications territoriales d'Ashini nous disent que nos lacs et nos rivières ne nous appartiennent pas plus que notre langue et notre culture. Comment parler quand la réalité ne nous appartient pas?

»Ainsi Thériault consacre la vocation universelle d'Ashini. Cette voix qui nous parvient
maintenant d'outre-tombe est celle d'un personnage mythique, porte-parole des dieux et de sa
race. Ne reconnaissons-nous pas là la mission du
poète, messager des dieux et des hommes?»

Jean-Paul SIMARD
Rituel et langage chez Yves Thériault
Fides 1979

«C'est en premier lieu le vieil Ashini qu'il
nous faut entendre. Il est symboliquement un
messager des dieux venu indiquer aux siens la
vraie libération, le chemin de l'amour et de la vie
qui est le retour au "temps de l'écorce". Ashini,
nouveau messie venu mourir sur sa propre croix
pour libérer les siens: "J'étais sûr maintenant
d'être non seulement leur agent libre soucieux de
recommencements, mais presque leur messie à
l'échelle de mon petit peuple." Cette voix qui nous
parvient d'outre-tombe est celle de l'élu qui habite
maintenant les Terres de Bonnes Chasses aux
côtés de Tshe Manitout.

»Ainsi Thériault valorise doublement le message d'un héros qui devient le porte-parole des
dieux de sa race. Mais Ashini accède en même
temps au rang des personnages mythiques qui
assument le destin de tous les hommes.

»Le chant rituel d'Ashini revêt une fonction prophétique. Il entonne "un hymne d'amour fraternel aux dimensions d'une race et même de toute l'humanité." Ashini devient le libérateur de l'Homme. Au héros thériausien qui a perdu le chemin de la vie, il trace de son sang la voie de l'amour et de la liberté.»

Maurice ÉMOND
Yves Thériault et le combat de l'homme
Coll.Cahiers du Québec,Hurtubise HMH, 1973

«*Ashini* est-il un "roman"? Qu'on n'y cherche pas une véritable intrigue, ni même une véritable histoire; mais qu'on lise posément ce récit poétique, comme on respire lentement, profondément une roborative senteur de sapins.

»*Ashini* est une sorte d'épopée en prose, une évocation poétique de la vie des Montagnais et de leur terre d'Ungava; thème de l'extrême nord, dont *Agaguk* avait exprimé la vigueur romanesque et qu'*Ashini* glorifie en l'originalité d'un souffle puissant. Depuis *Menaud, maître-draveur*, nous n'avions pas entendu chez nous un accent aussi neuf, une langue aussi dense, aussi riche et aussi précise.»

Romain LÉGARÉ
Lectures, mars 1961

«La sombre beauté de la mort d'Ashini, Yves Thériault la ramène aux proportions de la vie, du fait-divers, en épelant pour ses lecteurs le certificat de décès: *"Ashini, Montagnais, 63 ans, suicide dans un moment d'aliénation mentale."*

»Tel est, réduit à quelques citations et à quelques éloges, bien incomplets, le beau livre que [Thériault] vient de donner aux gens des deux rives, et particulièrement de la nôtre, gens de la côte sud qui regardons en "spectateurs" trop détachés s'édifier le destin d'un grand pays, autrefois le fief d'un petit nombre d'hommes à la peau cuivrée et dont les descendants, "réservés" dans de tristes cantons, n'ont plus que le souvenir — s'ils y tiennent encore! — de ce qu'ils furent. "Je vois aussi les entreprises des Blancs en mon pays", disait tristement Ashini. "Et je vois la misère des Indiens. Et je mesure à leur grandeur exacte les puissances des Blancs, leurs villes, leurs industries, leurs barrages et les routes qui écorchent déjà ma forêt. Et je ne peux plus douter maintenant que pour troquer leurs haillons pour les blousons de cuir luisant, pour habiter des maisons où nul vent d'hiver ne s'introduit, les Montagnais doivent à jamais renier ce qu'ils furent ou ce qu'ils pourraient être."

»C'est bien cela: *Ashini*, ou le dernier des Montagnais. Du moins aura-t-il trouvé, grâce au talent d'un conteur blanc, un barde fidèle et scrupuleux, un écho qui, pareil à celui de sa grande forêt, retentira à des milles et des milles alentours.»

FRANCION (pseud.)
Le Progrès du Golfe, 27 janvier 1961

«[...] on lira encore ce roman pour une autre raison que ses qualités littéraires. C'est aussi un émouvant plaidoyer en faveur des Indiens, un plaidoyer qui donne aux Blancs que nous sommes et dont l'auteur (avec raison) ne se gêne guère pour faire le procès, une excellente occasion de réfléchir sur un vieux péché de colonialisme et de mieux comprendre ces premiers occupants du pays envers lesquels le christianisme et l'humanisme nous imposent au moins ce devoir: réparer dans la mesure du possible le tort que nous aurions pu leur faire.»

Jean-Paul ROBILLARD
Le Petit Journal, 29 janvier 1961

«On dira qu'*Ashini* est le récit de deux solitudes: celle d'une fin de race [...] et celle d'un individu frustré dans ses ambitions et ses générosités [...]. Je ne suis pas sûr qu'*Ashini* soit valable d'abord parce qu'il retiendrait un moment notre attention sympathique sur les problèmes des Indiens encore parqués, au vingtième siècle, dans des réserves à la fois rassurantes et esclavagistes. Pour ma part, j'ignore comment ce problème social peut être résolu, et, sans instituer de procès d'intention, je ne pense pas non plus qu'Yves Thériault sache les éléments de la solution. Ce n'est pas, apparemment, son propos majeur. Je crois qu'il a voulu entonner un hymne d'amour fraternel aux dimensions d'une race et même de toute l'humanité. [...]

»*Ashini* est donc un livre "spirituel". Plusieurs passages défendent qu'on en doute. [...]

»*Ashini* est le roman de la liberté et de la magnanimité. L'écriture d'Yves Thériault est à la hauteur de ce projet. L'auteur use d'un langage incantatoire mais simple, dépouillé, classique, dont le lyrisme contenu, presque austère, exprime l'ascétisme de son héros. Nous plaindrons-nous de quelques rares pages dont la gravité continue menacerait d'être monotone, de certains passages, heureusement brefs, où le détail trop fignolé nous semble intempestif? Notre mémoire est trop occupée à retenir le visage d'Ashini, devenu pour nous cet ami admirable...»

Clément LOCKQUELL
Le Devoir, 4 février 1961

«La postérité retiendra le dernier roman d'Yves Thériault par la poésie qui s'y trouve, qui transforme chaque page en poème. Poésie qui ne se déroule pas, ne se suit pas dans une série d'images formant un tout complet, mais poésie sautant d'une impression à une autre, d'un objet à un autre, au gré des promenades dans les sous-bois et des tournées en canot sur les lacs. Poésie profonde, juste. [...]

»En un mot, cette poésie est majestueuse.»

Paul GAY
Le Droit, 4 février 1961

«Yves Thériault a écrit là une œuvre belle, dépouillée d'artifice, transmutant en lumière et en chaleur les réflexions et les observations de son héros. Le lecteur le plus étranger à la vie solitaire dans les bois ou à la faune qui y habite ne pourra s'empêcher de se sentir chez lui dans un univers autre, mais pourtant contemporain, et situé à quelques heures d'envolée.»

Marcel VALOIS
La Presse, 4 février 1961

«[*Ashini*] a surtout valeur de poème, poème émouvant par la force tranquille que montre le vieil Ashini et qui lui vient de son long contact avec la nature, poème symbolique en ce qu'il oppose cette force, faite d'amour, à celle des

Blancs, qui est une force de conquête. L'intérêt de ce conte réside aussi en sa vertu de dépaysement: le décor de l'immense forêt canadienne, l'évocation de quelques rites indiens et de vieilles légendes composent une sorte de cadre magique; le langage lui-même, émaillé de tournures et de mots du terroir, est plein d'attraits, en dépit d'une certaine recherche. Ce n'est pas dire que nous soyons très convaincu par ce type idéalisé de Peau-Rouge ni par la paisible harmonie d'un mode de vie primitif qu'on pourrait croire idyllique. Mais là n'est pas, sans doute, le propos de l'auteur, et la morale de ce conte en dépasse singulièrement le sujet.»

R. PROSLIER
Les Nouvelles littéraires, 9 février 1961

«Depuis *Menaud, maître-draveur*, aucun livre qui ait donné pareil choc. *Ashini* est le testament épique d'une fin de race. [...]

»Cet âpre chant de revendication permet à Thériault de magnifier la solitude, grande maîtresse de vie et créatrice de caractères. Il lui permet d'exprimer ses préférences pour la nature sauvage, pour son langage vierge: celui de la neige, celui des pistes fauves. Il y a longtemps qu'un de nos romanciers nous avait à ce point replongés dans la nature. [...] L'impression que nous laissent ces pages est de nostalgie: face aux puissances harna-

chées de la Bersimis et des Sept-Îles, cette voix —
impuissante et profondément humaine — qui n'est
pas entendue. Yves Thériault s'est gagné une place
enviable parmi nos conteurs.»

Odoric BOUFFARD
Culture, septembre 1961

«[Ashini] poursuit sa chimère avec l'obstina-
tion vigilante d'une manie exclusive. Il sollicite en
vain la venue, à la frontière des deux royaumes, du
Grand Chef Blanc, pour exiger de lui qu'il remette
à ses frères une partie du patrimoine. Rien ne lui
interdit de penser qu'il puisse traiter de puissance
à puissance. Aucune ambition personnelle ne le
pousse, il n'obéit qu'à un élan de fierté collective
qu'il souhaiterait voir davantage partagé.

»On aura aisément compris que nous sommes
ici dans le domaine de la fantaisie d'où tout réalisme est exclu. Thériault s'était lancé un défi qu'il
a victorieusement relevé. Un courant d'indignation
hautaine circule dans tous les propos du
Montagnais; avec des phrases simples, avec des
images empruntées à son expérience immédiate, il
fustige une civilisation qu'il juge abusive, parce
que négatrice des forces obscures de la nature qui
ont la promesse de l'éternité. [...]

»Est-il opportun de noter que la langue de
Thériault a acquis une souplesse et une retenue

qu'elle n'avait pas encore atteintes? Trois de ses personnages ont désormais leurs lettres de naturalisation dans notre littérature: *Aaron, Agaguk, Ashini.*»

Roger DUHAMEL
La Patrie, 5 mars 1961

CHRONOLOGIE

1915
Le 27 novembre, naissance à Québec d'Yves, fils
de Joseph-Alcide Thériault et d'Aurore Nadeau.
Ascendance amérindienne probable.

1923-1926
Élève des 3e et 4e années primaires à l'école
Notre-Dame de Grâce, Montréal.

1932-1934
Élève des 4e et 3e classes scientifiques au Mont-
Saint-Louis, Montréal.

1934
Thériault abandonne ses études et exerce divers
métiers: chauffeur de camion, vendeur, etc.

1935
Annonceur, durant une période d'essai, à la station CKAC de Montréal.

1936
Atteint d'une maladie pulmonaire, il séjourne pendant plusieurs mois au Sanatorium du lac Édouard, au nord-est de La Tuque. S'adonne au trappage en dilettante.

1937-1938
Annonceur aux stations radiophoniques CHNC de New Carlisle en Gaspésie, CHRC de Québec et CHLN de Trois-Rivières. Vendeur itinérant pour Laurentide Equipment Ltd.

1939-1940
Annonceur à CJBR de Rimouski puis à CKCH de Hull. Écrit ses premiers sketches radio-phoniques.

1941
Publie ses premiers contes dans *Le Jour*, journal dirigé par Jean-Charles Harvey.

1942
Le 21 avril, épouse Germaine (Michelle) Blanchet, collaboratrice au *Jour*, avec laquelle il aura deux enfants, Michel et Marie José. Court séjour à Toronto où il devient le directeur administratif de l'hebdomadaire de gauche *The News*, puis directeur de la publicité dans une usine de guerre.

1943-1944
Scripteur et publicitaire à l'Office national du film à Ottawa. Collaborateur à *La Nouvelle Relève*.

1944

Parution des *Contes pour un homme seul* aux Éditions de l'Arbre, dirigées par Robert Charbonneau et Claude Hurtubise.

1945-1950

Scripteur à Radio-Canada où il écrit des radio-théâtres et des contes. Reçoit, en 1945, le trophée Laflèche, décerné au meilleur scripteur. Lui et son épouse s'exercent à la discipline de l'écriture en composant sous divers pseudonymes des «romans à dix cents». Écrit des nouvelles pour le *Bulletin des agriculteurs, Liaison, Amérique française* et *Gants du ciel.*

1950

Parution de *La Fille laide*, son premier roman. Première du *Marcheur*, le 21 mars, à la salle du Gesù. Boursier du gouvernement français, il refuse la bourse, le montant accordé étant insuffisant pour lui permettre de vivre en France avec sa famille.

1950-1960

Collabore à plusieurs séries radiophoniques à Radio-Canada.

1951

Parutions: *Le Dompteur d'ours; La Vengeance de la mer; Les Vendeurs du temple.*

1952

Le Samaritain, radiothéâtre présenté sous le pseudonyme de Kenscoff, reçoit le premier prix au Concours dramatique de Radio-Canada.

1953-1954

Tour du monde sur un cargo, brusquement interrompu en Italie par la grave maladie de son épouse. Séjour à Florence. Collaborateur à *Photo-Journal*. Écrit un radiothéâtre pour la station CKVL et travaille à *Aaron*.

1953-1955

Adaptation en feuilleton du roman *Maria Chapdelaine* de Louis Hémon pour la station CKVL de Montréal.

1954-1955

Écrit des textes dramatiques pour la télévision de Radio-Canada.

1954

Prix de la Province de Québec pour *Aaron*, paru la même année.

1955

Collaborateur au *Devoir*.

1956

Écrit une adaptation du *Marcheur* pour la télévision de Radio-Canada. Travaille quelque temps comme scénariste pour l'ONF. Séjour à Paris, puis à Florence.

1957-1958
Écrit des textes dramatiques pour la télévision de
Radio-Canada.

1958
Parution d'*Agaguk* qui reçoit le Prix de la
Province de Québec (1958). À compter de 1958
et jusqu'en 1961, tient la chronique «Pour
hommes seulement» à *La Patrie*, édition du
dimanche, où il publie aussi contes et essais.

1959
Élu membre de la Société royale du Canada.
Collaborateur à *Points de vue* et aux *Cahiers de
l'Académie canadienne-française*. Parutions:
Alerte au Camp 29; La Revanche du Nascopie.

1960
Parutions: *L'Homme de la Papinachois; La Loi
de l'Apache; Roi de la Côte Nord; Ashini*. Écrit
un téléthéâtre pour Radio-Canada.

1961
Prix France-Canada pour *Ashini*. Collaborateur à
Châtelaine, à *Maclean's Magazine* et au *Nouveau
Journal*. Parutions: *Cul-de-sac; Le Vendeur d'é-
toiles; Les Commettants de Caridad; Amour au
goût de mer; Séjour à Moscou*. Lauréat du prix Mgr
Camille Roy pour *Le Vendeur d'étoiles*. Hôte du
gouvernement soviétique au Festival international
du film de Moscou. Voyage en Grèce. Écrit une
dramatique historique sur Camilien Houde pour
CKVL.

1962-1963
Séjour en Yougoslavie et à Florence.

1962
Prix du Gouverneur général pour *Agaguk* et *Ashini*. Parutions: *La Montagne sacrée; Le Rapt du Lac Caché; Si la bombe m'était contée; Nakika, le petit Algonquin.*

1963
Parutions: *Le Grand Roman d'un petit homme; Avéa, le petit tramway; Les Aventures de Ti-Jean; Les Extravagances de Ti-Jean; Maurice, le Moruceau; Nauya, le petit Esquimau; Ti-Jean et le grand géant; Le Ru d'Ikoué.* Écrit une dramatique pour CKVL.

1964
Parutions: *La Rose de pierre; Zibou et Coucou.*

1965
Président de la Société des écrivains canadiens. Parutions: *Les Temps du carcajou; La Montagne creuse; Le Secret de Mufjarti.* Rédige des adaptations, des pièces et un conte pour CKVL.

1965-1967
Directeur des affaires culturelles au Ministère des Affaires indiennes et du Nord à Ottawa. Écrit des radiothéâtres pour Radio-Canada.

1966
Parutions: *Les Dauphins de Monsieur Yu; Le*

Château des petits hommes verts; Le Dernier Rayon.

1967
Parutions: *La Bête à 300 têtes; L'Appelante.* Collaborateur à *La Presse.* Éditorialiste à *Sept Jours.* Écrit une histoire de la ville de Montréal pour CKVL.

1968
Parutions: *Les Pieuvres; Les Vampires de la rue Monsieur-le-Prince; N'Tsuk; La Mort d'eau; L'Île introuvable; Le Marcheur* (pièce créée en 1950); *Kesten; Mahigan.* Sortie sur microsillon de *N'Tsuk,* lu par l'auteur.

1969
Parutions: *Antoine et sa montagne; Valérie; Tayaout, fils d'Agaguk; Textes et documents; L'Or de la felouque.*

1970
Parutions: *Frédange,* suivi de *Les Terres neuves; Le Dernier Havre.* «Yves Thériault, écrivain (film, 16 mm, 33 minutes), réalisé par Claude Savard, produit par l'Office du film du Québec pour le Ministère de l'éducation. Thrombose cérébrale.

1971
Prix Molson pour l'ensemble de son œuvre.

1972

Parution de *La Passe-au-crachin*. Écrit des textes radiophoniques pour Radio-Canada.

1973

Parution du *Haut Pays*.

1975

Parutions: *Agoak, l'héritage d'Agaguk; Œuvre de chair*. Écrit des textes sur la Basse Côte-Nord pour Radio-Canada.

1976

Parution de *Moi, Pierre Huneau*. Reçu Officier de l'Ordre du Canada.

1978

Écrit des textes radiophoniques et un téléthéâtre pour Radio-Canada.

1979

Parutions: *Les Aventures d'Ori d'Or; Cajetan et la taupe*. Prix David pour l'ensemble de son œuvre.

1979-1984

Collaborateur à *Vidéo-Presse* (dont des textes posthumes).

1980

Parutions: *La Quête de l'ourse; Popok, le petit Esquimau; Le Partage de minuit*.

1981

Parutions: *L'Étreinte de Vénus; La Femme Anna et autres contes; Pierre-Gilles Dubois; Kuanuten (vent d'est); Valère et le grand canot.*

1982

Enregistre une série de treize entretiens pour la radio de Radio-Canada, «Yves Thériault se raconte». Télédiffusion sur les ondes de Radio-Québec de «Yves Thériault: vivre pour écrire», de la série *Profession: écrivain* (durée: 27 minutes), réalisation de Claude Godbout; produit par les Productions Prisma.

1983

Parutions: *L'Herbe de tendresse; Le Coureur de marathon.* Le 20 octobre, décès de l'écrivain à Joliette.

1986

Parution de l'anthologie *Le Choix de Marie José Thériault dans l'œuvre d'Yves Thériault* (Les Presses laurentiennes). Adaptation cinématographique du *Dernier Havre*, réalisée par Denyse Benoît, produite par Marc Daigle pour l'ACPAV (Association coopérative de productions audio-visuelles).

1992

Adaptation cinématographique d'*Agaguk* en version originale anglaise sous le titre *Shadow of the Wolf* et en version française sous le titre *Agaguk — L'Ombre du loup*, réalisée par Jacques

Dorfmann, produite par Claude Léger pour Eiffel Productions et Transfilm Inc.

1993
Sortie de la bande sonore du même film (CD et cassette audio), musique de Maurice Jarre dirigeant le Royal Philarmonic Orchestra.

Bibliographie sélective

Cette nomenclature regroupe l'édition originale et, le cas échéant, l'édition la plus récente des œuvres principales d'Yves Thériault et de leurs traductions. L'ordre chronologique est celui de l'édition originale.

1944
Contes pour un homme seul, Montréal, Éditions de l'Arbre, 1944; Montréal, BQ, 1993.

1950
La Fille laide, Montréal, Beauchemin, 1950; Montréal, Éditions du dernier havre, 2003.

1951
Le Dompteur d'ours, Montréal, Cercle du Livre de France, 1951; Montréal, Éditions du dernier havre, 2005.
Les Vendeurs du temple, Québec, Institut littéraire du Québec, 1951; Montréal, Typo 1995.

La Vengeance de la mer, Montréal, Publications du lapin, 1951.

1952

Le Drame d'Aurore, (sous le pseudonyme de Benoît Tessier), Québec, Diffusion du livre, 1952; Montréal, Éditions du dernier havre, 2005.

1954

Aaron, Québec, Institut littéraire du Québec, 1954; Montréal, Éditions du dernier havre, 2003.

1958

Agaguk, Québec, Institut littéraire du Québec et Paris, Bernard Grasset, 1958; Montréal, Éditions du dernier havre, 2003; première édition intégrale, Montréal, Éditions du dernier havre, 2006.

Agaguk, Roman einer Eskimo-Ehe, traduit par Madeleine Jean, Berlin-Grunewald, F. A. Herbig, 1960; Berlin, F. A. Herbig, 1996 (allemand).

Agaguk, roman o Eskimima (Zanimljiva Biblioteka), traduit par Srečko Džamonja, Zagreb, Znanje, 1960 (serbo-croate).

Inuito: Ningen: Eskimô Agaguk no roman (Collection Riron Library), traduit par Tadashi Seki, Tōkyō, Rironsha, 1960 (japonais).

Agaguk, romanzo eschimese (Collana La Piramide, 68), traduit par Olga Ceretti Borsini, Milano, Aldo Martello, 1962; *Agaguk* —

L'ombra del lupo, Bussolengo, Demetra, 1996 (italien).

Agaguk, traduit par Miriam Chapin, Toronto, Ryerson Press, 1963; Toronto, McClelland & Stewart, 1992 (anglais).

Agaguk, syn eskymáckého náčelníka, traduit par Eva Janovcová, Praha, Edice Spirala, 1972 (tchèque).

Życie za śmierć, traduit par Beata Hłasko, Warszawa, Instytut Wydawniczy Pax, 1972 (polonais).

Aí xi gi mo ren, traduit par Yeonghui Yí Zheng, Guilin (Guanxi), Li Jiang Zhu Beng Shè, 1986 (chinois).

Agaguk, traduit par Mohammad Najari, Damas, Éditions Al-Hassad, 2000 (arabe).

Agaguk, traduit par Boris Sokolov, Minsk, Éditions Technoprint, 2004 (russe).

1959

Alerte au Camp 29, Montréal, Beauchemin, 1959.

La Revanche du Nascopie, Montréal, Beauchemin, 1959.

1960

L'Homme de la Papinachois, Montréal, Beauchemin, 1960.

La Loi de l'Apache, Montréal, Beauchemin, 1960.

Roi de la Côte Nord (La Vie extraordinaire de Napoléon-Alexandre Comeau), Montréal, Éditions de l'Homme, 1960.

Ashini, Montréal et Paris, Fides, 1960; Montréal, Éditions du dernier havre, 2006.

Ashini, traduit par Gwendolyn Moore, Montréal, Harvest House, 1972 (anglais).

Ashini, traduit par Mohammad Najari, Damas, Éditions Al-Hassad, 1999 (arabe).

Ashini, traduit par Boris Sokolov, Minsk, Éditions Technoprint, 2005 (russe).

1961

Cul-de-sac, Québec, Institut littéraire du Québec, 1961; Montréal, Typo, 1997.

Amour au goût de mer, Montréal, Beauchemin, 1961; Montréal, Libre Expression, 1981.

Le Vendeur d'étoiles — et autres contes, Montréal, Fides, 1961; Montréal, BQ, 1995.

Les Commettants de Caridad, Québec, Institut littéraire du Québec, 1961; Montréal, Éditions du dernier havre, 2006.

Séjour à Moscou, Montréal et Paris, Fides, 1961.

1962

La Montagne sacrée, Montréal, Beauchemin, 1962.

Le Rapt du Lac Caché, Montréal, Beauchemin, 1962.

Si la bombe m'était contée, Montréal, Éditions du Jour, 1962.

Nakika, le petit Algonquin, Montréal, Leméac, 1962.

1963

Le Grand Roman d'un petit homme, Montréal, Éditions du Jour, 1963; Montréal, Éditions du Jour, 1969.

Avéa, le petit tramway, Montréal, Beauchemin, 1963.

Les Aventures de Ti-Jean, Montréal, Beauchemin, 1963.

Les Extravagances de Ti-Jean, Montréal, Beauchemin, 1963.

Maurice, le Moruceau, Montréal, Beauchemin, 1963.

Nauya, le petit Esquimau, Montréal, Beauchemin, 1963.

Ti-Jean et le grand géant, Montréal, Beauchemin, 1963.

Le Ru d'Ikoué, Montréal et Paris, Fides, 1963; Montréal, BQ, 2001.

1964

La Rose de pierre — histoires d'amour, Montréal, Éditions du Jour, 1964; Montréal, Libre Expression, 1981.

Zibou et Coucou, Montréal, Leméac, 1964.

1965

Les Temps du carcajou, Québec, Institut littéraire du Québec, 1965; Montréal, Typo, 1997.

La Montagne creuse, Montréal, Lidec, 1965.

Le Secret de Mufjarti, Montréal, Lidec, 1965.

1966

Les Dauphins de Monsieur Yu, Montréal, Lidec, 1966.

Le Château des petits hommes verts, Montréal, Lidec, 1966.
Le Dernier Rayon, Montréal, Lidec, 1966.

1967

La Bête à 300 têtes, Montréal, Lidec, 1967.
L'Appelante, Montréal, Éditions du Jour, 1967; Montréal, BQ, 1989.

1968

Les Pieuvres, Montréal, Lidec, 1968.
Les Vampires de la rue Monsieur-le-Prince, Montréal, Lidec, 1968.
N'Tsuk, Montréal, Éditions de l'Homme, 1968; Montréal, Typo, 1998.
N'Tsuk, traduit par Gwendolyn Moore, Montréal, Harvest House, 1971 (anglais).
N'Tsuk, traduit par Mohammad Najari, Damas, Éditions Al-Hassad, 2001 (arabe).
La Mort d'eau, Montréal, Éditions de l'Homme, 1968.
L'Île introuvable, Montréal, Éditions du Jour, 1968; Montréal, BQ, 1996.
Le Marcheur, pièce en trois actes, Montréal, Leméac, 1968; Montréal, SYT Éditeur, 1996.
Kesten, Montréal, Éditions du Jour, 1968; Montréal, BQ, 1989.
Mahigan, Montréal, Leméac, 1968; Montréal, Éditions du dernier havre, 2004.

1969

Antoine et sa montagne, Montréal, Éditions du Jour, 1969; Montréal, BQ, 1995.

Valérie, Montréal, Éditions de l'Homme, 1969.

Tayaout, fils d'Agaguk, Montréal, Éditions de l'Homme, 1969; Montréal, Typo, 1996.

Textes et documents, Montréal, Leméac, 1969.

L'Or de la felouque, Québec, Éditions Jeunesse, 1969; Montréal, Hurtubise HMH, 1981.

1970

Frédange, suivi de *Les Terres neuves*, pièces en deux actes, Montréal, Leméac, 1970.

Le Dernier Havre, Montréal, L'Actuelle, 1970; Montréal, Typo, 1996.

1972

La Passe-au-Crachin, Montréal, René Ferron Éditeur, 1972.

1973

Le Haut Pays, Montréal, René Ferron Éditeur, 1973.

1975

Agoak — l'héritage d'Agaguk, Montréal, Quinze, 1975; Montréal, Stanké, 1979.

Agoak — The Legacy of Agaguk, traduit par John David Allan, Toronto, McGraw-Hill Ryerson, 1979 (anglais).

Œuvre de chair, Montréal, Stanké, 1975; Montréal, Typo, 1997.

Ways of the Flesh, traduit par Jean David, Toronto, Gage Publishing, 1977 (anglais).

1976

Moi, Pierre Huneau, Montréal, HMH, 1976; Montréal, BQ, 1989.

1979

Les Aventures d'Ori d'Or, Montréal, Éditions Paulines, 1979.

Cajetan et la taupe, Montréal, Éditions Paulines, 1979.

1980

La Quête de l'ourse, Montréal, Stanké, 1980; Montréal, Éditions du dernier havre, 2004.

Popok, le petit esquimau, Montréal, Québécor, 1980.

Le Partage de minuit, Montréal, Québécor, 1980.

1981

L'Étreinte de Vénus, Montréal, Québécor, 1981.

La Femme Anna et autres contes, Montréal, VLB Éditeur, 1981; Montréal, Typo, 1998.

Pierre Gilles Dubois, Montréal, Marcel Broquet, 1981.

Kuanuten (vent d'est), Montréal, Éditions Paulines, 1981.

Valère et le grand canot, Montréal, VLB Éditeur, 1981; Montréal, Typo, 1996.

1983

L'Herbe de tendresse, Montréal, VLB Éditeur, 1983; Montréal, Typo, 1996.

1990

Cap à l'amour! (ouvrage posthume), Montréal, VLB Éditeur, 1990; Montréal, Typo, 1998.

ÉTUDES CRITIQUES SUR YVES THÉRIAULT

ARCHAMBAULT, Gilles, présentation des *Contes pour un homme seul*, Montréal, BQ, 1993, p. 9-13.

BEAULIEU, Victor-Lévy, «Pour célébrer la beauté du conteur», préface de *Valère et le grand canot*, Montréal, VLB Éditeur, 1981, p. 9-28.

BEAULIEU, Victor-Lévy, «Pour saluer un géant», préface de *La Femme Anna et autres contes*, Montréal, VLB Éditeur, 1981, p. 9-37.

BEAULIEU, Victor-Lévy, «Pour célébrer l'Esquimau et l'Amérindien», préface de *L'Herbe de tendresse*, Montréal, VLB Éditeur, 1983, p. 9-35.

BÉRUBÉ, Renald, «Yves Thériault ou la lutte de l'homme contre les puissances obscures», dans *Livres et auteurs canadiens*, 1968, p. l5-25.

BÉRUBÉ, Renald, «Yves Thériault ou la recherche de l'équilibre originel», *Europe*, nos 178-179 (fév.-mars 1969), p. 51-56.

BÉRUBÉ, Renald, «Yves Thériault et la Gaspésie de la mer», *Possibles*, vol. II, nos 2-3, hiver-printemps 1978, p. 147-165.

BÉRUBÉ, Renald, «Kesten et son dragon bâtard», préface de *Kesten*, Montréal, BQ, 1989, p. 7-16.

BÉRUBÉ, Renald, «Pierre Huneau au Havre Saint-Pierre», préface de *Moi, Pierre Huneau*, Montréal, BQ, 1989, p. 7-17.

BÉRUBÉ, Renald, «L'amour (des contes) en ses caps et ses détours», préface de *Cap à l'amour!*, Montréal, VLB Éditeur, 1990, p. 9-24.

BÉRUBÉ, Renald, «"L'île introuvable" d'Yves Thériault: le narrateur/conteur comme ex-auditeur de son conte/nouvelle», *Tangence*, no 50, mars 1996, p. 20-35.

BÉRUBÉ, Renald, présentation du *Marcheur*, Montréal, SYT Éditeur, 1996, p. 7-27.

BÉRUBÉ, Renald, «La Gueuse, le Karnacien et la fille (laide) de la plaine», préface de *La Fille laide*, Montréal, Éditions du dernier havre, 2003, p. v-xvii.

BÉRUBÉ, Renald, «Le dompteur, le métis, l'agent secret — et l'ourse», préface de *La Quête de l'ourse*, Montréal, Éditions du dernier havre, 2004, p. iii-xxiii.

BÉRUBÉ, Renald, «La trilogie inuit d'Yves Thériault et les récits de deux missionnaires oblats chez les Inuits: *Inuk* de Roger Nuliard et *La Petite Barbe* d'André Steinmann», dans *Cahiers Yves Thériault 1*, Montréal, Éditions du dernier havre, 2004, p. 25-46.

BÉRUBÉ, Renald, «D'*Aurore* à *Valérie*, un parcours selon Thériault», préface de *Le Drame d'Aurore*, Montréal, Éditions du dernier havre, 2005, p. v-vii.

BÉRUBÉ, Renald, «Le Dompteur qui fait jaser», préface du *Dompteur d'ours*, Montréal, Éditions du dernier havre, 2005, p. v-xx.

BESSETTE, Gérard, «Le primitivisme dans les romans de Thériault», *Une littérature en ébullition*, Éditions du Jour, 1968, p. 111-216.

BROCHU, André, «Yves Thériault et la sexualité», dans *L'Instance critique*, Montréal, Leméac, 1974, p. 133-155.

BROCHU, André, sans titre; préface de *Mahigan*, Montréal, Éditions du dernier havre, 2004, p. i-vii.

BROCHU, André, «Yves Thériault et l'intériorité. À propos des *Temps du carcajou*», dans *Cahiers Yves Thériault 1*, Montréal, Éditions du dernier havre, 2004, p. 47-58.

BROCHU, André, «Le roman du plus fort», préface de la première édition intégrale d'*Agaguk*, Montréal, Éditions du dernier havre, 2006, p. vii-xxix.

CARON, Louis, «Un pacte», préface de *L'Île introuvable*, Montréal, BQ, 1996, p. 7-10.

COLLECTIF, «Yves Thériault, une écriture multiple», *Études littéraires*, vol. XXI, n⁰ 1, printemps-été 1988, 189 p.

COLLECTIF sous la direction de Renald Bérubé et Francis Langevin, *Cahiers Yves Thériault 1*, Montréal, Éditions du dernier havre, 2004, 180 p.

DORION, Gilles et Maurice ÉMOND, «Dossiers: Yves Thériault», *Québec français*, n⁰ 23, octobre 1976, p. 21-28.

DUPONT, Caroline, «D'un loup, l'autre... Hétérodoxie auto/biographique chez Victor-Lévy Beaulieu: l'exemple d'*Un loup nommé Yves Thériault*», dans *Cahiers Yves Thériault 1*, Montréal, Éditions du dernier havre, 2004, p. 109-127.

ÉMOND, Maurice, *Yves Thériault et le combat de l'homme*, Hurtubise HMH, 1973, 172 p.

ÉMOND, Maurice, «Ashini ou la nostalgie du Paradis perdu», dans *Voix et images du pays*, vol. IX, 1975, p. 35-62.

ÉMOND, Maurice, «Yves Thériault, conteur et nouvelliste», dans *XYZ*, vol. I, n° 3, automne 1985, p. 62-66.

ÉMOND, Maurice, sans titre, préface d'*Ashini*, Montréal, BQ, 1988, p. 7-13.

GAGNON, Céline, «Conter, raconter, écrire: Yves Thériault écrivain conteur», dans *Cahiers Yves Thériault 1*, Montréal, Éditions du dernier havre, 2004, p. 89-107.

GOULET, André, «Les pièges du rêve», préface d'*Antoine et sa montagne*, Montréal, BQ, 1995, p. 7-12.

HESSE, Gerda, *Yves Thériault, Master Storyteller*, New York, Peter Lang Publishing, coll. «American University Studies», 1993, 184 p.

JACOB, Roland, «Yves Thériault, romancier», *Revue de l'Université Laval,* vol. 17, n° 4, décembre 1962, p. 352-359.

KATTAN, Naïm, «*Aaron:* cinquante ans après», préface de *Aaron*, Montréal, Éditions du dernier havre, 2003, p. vii-xiii.

LACROIX, Yves, «Lecture d'Agaguk», dans *Voix et Images*, vol. V, n⁰ 2, hiver 1980, p. 245-269.

LAFRANCE, Hélène, *Yves Thériault et l'institution littéraire québécoise*, Québec, IQRC, coll. «Edmond-de-Nevers», n⁰ 3, 1984, 174 p.

LANGEVIN, Francis, «Conte, conteur et contemporain: "L'Île introuvable" d'Yves Thériault», dans *Cahiers Yves Thériault 1*, Montréal, Éditions du dernier havre, 2004, p. 75-88.

MAILHOT, Laurent, «Un réalisme aveugle ou visionnaire?», préface de *L'Appelante*, Montréal, BQ, 1989, p. 7-13.

MAILHOT, Laurent, «La montagne et les souris chez Yves Thériault», dans *Ouvrir le livre*, Montréal, l'Hexagone, 1992, p. 151-162.

MAJOR, Robert, «Éditer *Agaguk*», dans *Cahiers Yves Thériault 1*, Montréal, Éditions du dernier havre, 2004, p. 13-23.

MARTEL, Réginald, «La lutte de l'homme et du cheval» et «Entre la force et la fragilité», dans *Le Premier Lecteur*, Montréal, Leméac, 1994, p. 304-308.

MORENCY, Jean, «Moishe, maître-rêveur: quelques réflexions sur *Aaron* d'Yves Thériault et sur ses analogies avec *Menaud, maître-draveur* de Félix-Antoine Savard», dans *Cahiers Yves Thériault 1*, Montréal, Éditions du dernier havre, 2004, p. 1-12.

POULIOT, Suzanne, «Les œuvres d'Yves Thériault pour la jeunesse: de l'ignorance à la reconnaissance», dans *Cahiers Yves Thériault 1*, Montréal, Éditions du dernier havre, 2004, p. 129-153.

SAINT-PIERRE, Julie, «*Cul-de-sac* et la révolte prométhéenne», dans *Cahiers Yves Thériault 1*, Montréal, Éditions du dernier havre, 2004, p. 59-73.

SIMARD, Jean-Paul, *Rituel et langage chez Yves Thériault*, Fides, 1979.

SOUCY, Jean-Yves, «Un regard naïf», préface du *Vendeur d'étoiles*, Montréal, BQ, 1995, p. 7-13.

ENTRETIENS AVEC YVES THÉRIAULT

BÉRUBÉ, Renald, «35 ans de vie littéraire», dans *Voix et images*, vol. V, n⁰ 2, hiver 1980, p. 223-243.

CARPENTIER, André, *Yves Thériault se raconte,* Montréal, VLB Éditeur, 1985, 188 p.

HESSE, Gerda, «An Interview with Yves Thériault», dans *A Decade of Canadian Fiction — A Special Issue of Canadian Fiction Magazine*, n⁰ 47, 1984, p. 33-57.

ROYER, Jean, «J'écris pour tout le monde», dans *Écrivains contemporains, Entretiens I: 1976-*

1979, Montréal, l'Hexagone, 1982, p. 141-146; *Romanciers québécois, entretiens*, Montréal, Typo, 1991, p. 296-301.

SMITH, Donald, *L'Écrivain devant son œuvre*, Montréal, Québec/Amérique, 1983, p. 59-84.

SMITH, Donald, *Voices of Deliverance (L'Écrivain devant son œuvre)*, traduit par Larry Shouldice, Toronto, Anansi, 1986, p. 57-81.

ÉTUDES SUR *ASHINI*

[ANONYME], *«Ashini», Bulletin du Cercle juif*, 7e année, no 61, janvier 1961, p. 2-3.

BOUFFARD, Odoric, o.f.m., «Livres canadiens. Littérature. *Ashini* [...]», *Culture*, vol. XXII, no 3, septembre 1961, p. 368-369.

BOYER, Gilles, «*Ashini* ou la condition de l'Indien», *Le Soleil*, 11 mars 1961, p. 14.

BROCHU, André, «Individualité et collectivité dans *Agaguk, Ashini* et *Les Commettants de Caridad*», dans *L'Instance critique, 1961-1973*, présentation de François Ricrad, Montréal, Leméac, 1974, p. 156-205 [v. p. 173-180].

ÉMOND, Maurice, «Le Message d'*Ashini* et de *N'Tsuk»*, dans *Yves Thériault et le combat de l'homme,* Montréal, Coll. Les Cahiers du Québec, Hurtubise HMH, 1973, p. 89-98.

ÉMOND, Maurice, «*Ashini* ou la nostalgie du Paradis perdu», *Voix et Images du pays*, no IX,

Montréal, les Presses de l'Université du Québec, 1975, p. 35-62.

FARTHING, Gilbert, «An Indian Tragedy. Yves Thériault. *Ashini* [...]», *Canadian Literature*, n⁰ 10, automne 1961, p. 84-85.

GAY, Paul, «Le Dernier Roman d'Yves Thériault. *Ashini*», *Le Droit*, 4 février 1961, p. 10.

HELLENS, Franz, «Un roman canadien. *Ashini*», *Le Soir* (Bruxelles), 18 mai 1961, p. 8.

GENEST, Jean, «Livres. Yves Thériault. *Ashini* [...]», *Collège et famille*, vol. XVIII, n⁰ 3, juin 1961, p. 160.

LABELLE, Jean-Paul, «Les Livres. Yves Thériault: *Ashini*. Roman», *Relations*, 21ᵉ année, n⁰ 244, avril 1961, p. 110.

LÉGARÉ, Romain, o.f.m., «Une poésie de plein air dans deux livres récents: *La Folle* de F.-A. Savard et *Ashini* de Y. Thériault», *Lectures*, vol. VII, n⁰ 7, mars 1961, p. 199-201.

LESSARD, Camille, «*Ashini* n'est pas un roman», *L'Action catholique*, vol. LIII, n⁰ 16 589, 17 juin 1961, p. 4.

LOCKQUELL, Clément, «*Ashini*, roman d'une amitié universelle», *Le Devoir*, 4 février 1961, p. 12. Repris dans Gilles MARCOTTE [compilateur], *Présence de la critique*, Montréal, Hurtubise HMH, 1966, p. 94-96.

MÉNARD, Jean, «Le Roman et le conte. Yves Thériault. *Ashini*», *Renue de l'Université d'Ottawa*, vol. XXXI, n⁰ 2, avril-juin 1961, p. 316.

PRÉVOST, J.-L., «*Ashini*, de Yves Thériault», *Livres et Lectures*, nº 164, mars 1962, p. 145.

RACINE, Claude, «La Critique sociale dans *Ashini*», *Les Cahiers de Sainte-Marie,* nº 1, mai 1966, p. 49-56.

ROBERT, Guy, «Littérature 1960», *La Revue dominicaine,* vol. LXVII, t. 1, avril 1961, p. 152-153.

SIMARD, Jean-Paul, «Le Livre d'Ashini», dans *Rituel et langage chez Yves Thériault*, Montréal, Fides, 1979, p.101-115.

VALOIS, Marcel, «*Ashini*. L'univers concentrationnaire et le messie des Montagnais», *La Presse*, 4 février 1961, p. 22.

VANASSE, Jean-Paul, «Le Canada c'est pour les Blancs», *Liberté*, vol III, nos 3-4, mai-août 1961, p. 651-653.

VIENS, Jacques, «Le Chant d'*Ashini*», *Jeunesses littéraires du Canada français*, vol. II, nº 1, novembre 1964, p. 10-11.

TABLE DES MATIÈRES